FÊNIX
RENASCENDO DAS CINZAS

REFLEXÕES PARA UMA VIDA NOVA

FÊNIX

RENASCENDO DAS CINZAS

Daniel C. Luz

REFLEXÕES PARA UMA VIDA NOVA

www.dvseditora.com.br

FÊNIX - Renascendo das Cinzas
Reflexões para uma vida nova

Copyright© 2006 DVS Editora Ltda.

Todos os direitos para a língua portuguesa reservados pela editora.
Nenhuma parte dessa publicação poderá ser reproduzida, guardada pelo sistema *retrieval* ou transmitida de qualquer modo ou por qualquer outro meio, seja este eletrônico, mecânico, de fotocópia, de gravação, ou outros, sem prévia autorização, por escrito, da editora.

Produção gráfica: Spazio Publicidade e Propaganda
Revisão: Revis Art Assessoria Editorial
Diagramação, ilustração e *desing* de capa: Jean Monteiro Barbosa
ISBN: 978-85-88329-22-5

Endereço para correspondêcia com o autor:
www.dvseditora.com.br
fenix@dvseditora.com.br

Dados Internacionais na Catalogação da Publicação (CIP)
(Câmara Brasileira do Livro, SP, Brasil)

Luz, Daniel C.
    Fênix : renascendo das cinzas / Daniel C. Luz. --
São Paulo : DVS Editora, 2006.

    Bibliografia.
    ISBN 978-85-88329-22-5

    1. Autoajuda - Técnicas 2. Crônicas brasileiras
3. "Insight" 4. Liderança 5. Realização pessoal I. Título.

05-9301   CDD-869.93

Índices para catálogo sistemático:
1. Crônicas : Literatura brasileira   869.93

Dedicatória

Para Princesinha Sophie

Índice

13	PREFÁCIO	Sempre pensei que prefaciar...
17	INTRODUÇÃO	Parece fácil ler um livro...
19	COMENTÁRIOS INICIAIS	Algumas de nossas histórias...

PRIMEIRA PARTE
RENASCIMENTO

23	FÊNIX	No dia 29 de janeiro de...
27	CONTRARIANDO AS PREVISÕES	Lance Armstrong, em 1999,...
31	O MELHOR PRESENTE DE TODOS	Todo mundo precisa dele,...
35	SEGUNDO ATO	Ele era brilhante...
39	FERIDAS SECRETAS	Visualize a cena...
43	AQUILO QUE NÃO ME DESTRÓI ME TORNA MAIS FORTE	Um artigo publicado em...
47	TRINTA E NOVE ANOS - TEMPO SUFICIENTE	De 1929 a 1968 são apenas...
51	TRANSFORMANDO TRAGÉDIA EM TRIUNFO	Foi a frustração que instigou...
55	PERDOANDO PARA RECOMEÇAR	Considero Corrie Ten Boom...
59	A DECISÃO DE JAMAIS DESANIMAR	Vaclav Havel foi um dos...
63	A BELEZA NOS ANOS DE POR DE SOL	Você não odeia quando...
67	ZÉS-NINGUÉM	Pergunto-me se você ainda...
71	VENTOS FORTES, RAÍZES PROFUNDAS	Muitas pessoas veem as chuvas...
75	ENTRE A BIGORNA E O MARTELO DA ADVERSIDADE	Michelangelo Buonarroti...
79	O ENCONTRO - QUANDO UMA FÊNIX ENCONTRA OUTRA	"Os dois personagens mais..."

83	RESISTÊNCIA, O INIMIGO INTERNO
	--- A maioria de nós possui duas vidas...
87	UMA BREVE HISTÓRIA DE UM HERÓI DE GRANDE ALMA
	--- Quando a rainha Vitória se tornou...
91	O PASSADO ESTÁ MANTENDO SUA VIDA REFÉM?
	--- A capacidade de deixar os eventos...
95	RECOMEÇAR... TODO FINAL É UM NOVO COMEÇO
	--- A natureza demonstra que...
99	QUANDO VOCÊ ESTIVER PREPARADO
	--- Ficar parado não ajuda...
103	O AÇO DA GRANDEZA É FORJADO NO FOGO
	--- Cada vez que iniciamos...
107	O JOGO NÃO ACABOU
	--- Concordamos com uma...
111	RECOMEÇAR É QUESTÃO DE ATITUDE
	--- As pessoas freqüentemente...
115	A CORAGEM DO DIA A DIA
	--- A história costuma exaltar...
119	SONHAR PODE FAZER A DIFERENÇA
	--- A vida no século XIX...
123	DETERMINAÇÃO
	--- A diferença entre as pessoas...
127	MORRA VAZIO
	--- Charles foi reprovado...
131	ATRAVESSANDO TEMPOS DIFÍCEIS
	--- Tempos difíceis, tempos...
133	O PRINCÍPIO DA ADVERSIDADE
	--- A história é conhecida...
135	OTIMISMO *VERSUS* PESSIMISMO
	--- Você já notou como...
139	DO FATALISMO À ESPERANÇA
	--- Contam por aí a história...
143	OPS, TROPECEI!
	--- Você já tropeçou?
147	POR QUE DEVEMOS SAIR DA ZONA DE CONFORTO?
	--- Por que você deve sair...
149	FAZENDO DIFERENÇA
	--- Quero começar este texto,...
153	MOSTRE CONSISTÊNCIA
	--- Consistência. Um modelo...

FÊNIX - Renascendo das Cinzas

157   OBSTINADO SIM, TEIMOSO NÃO!

-- Você não vai encontrá-lo...

161   A SILENCIOSA HEMORRAGIA DA ALMA

-- Não há nada que cause...

165   POR FAVOR, NÃO TÃO SÉRIO

-- A vida não foi feita...

169   A TRAVESSIA DO RUBICÃO

-- Em 11 de janeiro...

171   O PODER DE UM SONHO

-- Nunca subestime o poder...

175   O QUE FAZER COM OS MEUS FRACASSOS

-- Fracasso: palavra que...

179   PROCRASTINAÇÃO

-- Já lhe ocorreu de ter...

SEGUNDA PARTE
CRESCIMENTO

183   A INFLUÊNCIA DE UMA VIDA

-- Desde pequeno gosto de...

187   DA CALMARIA AO CAOS

-- Às vezes, a vida é assim,...

191   É UM DIA RUIM QUANDO...

-- Você sabe que o dia será...

195   O VOO DA MAMANGABA

-- No início do século XX...

197   O DESPERTAR DO TIGRE

-- Uma divertida fábula indiana...

199   VIVA A PLENITUDE DO SEU POTENCIAL

-- Muitos se perguntam hoje...

203   O QUE ESTÁ DENTRO?

-- Há muito, muito tempo,...

207   VOCÊ E SEUS HÁBITOS

-- O despertador toca,...

211   ACOSTUMAR-SE

-- Estou a apenas cinco...

215   SEJA UM FINALIZADOR

-- Eu peguei meu dicionário...

219   525.600

-- Hora das perguntas!

ÍNDICE

223   SAINDO DO ATOLEIRO

-- Com frequência, começo...

227   MUDAR? NUNCA!

-- Viktor Frankl, o famoso...

231   CEDA E SEJA MUDANÇA

-- Não tente mudar outras...

235   QUEBRA-CABEÇA OU PLANO DIVINO?

-- Você já montou um...

237   "TER DE". É UMA OPÇÃO

-- Todo o mundo gosta...

241   ALGUMAS PESSOAS TÊM OLHOS, MAS NÃO VEEM

-- Está preparado para...

245   ASSUMINDO RISCOS E ROMPENDO BARREIRAS

-- Experimentar algo novo...

249   VOCÊ NÃO É UM ACIDENTE

-- A história do pequeno...

253   UM PORÃO CHEIO DE MEDOS

-- Não sei ao certo quando...

257   ASA QUEBRADA

-- É bem provável que alguém...

261   NÃO RETENHA O LIXO

-- Antes de começar a receber...

265   O RETRATO DE UM FRACASSADO

-- Reconhece-se um fracassado...

269   A BELA LÍNGUA

-- Sua língua é bonita?

273   AVALIE-SE COM REALISMO

-- Abra alguns livros...

277   O ERRO É UM ASPECTO BÁSICO DO SUCESSO

-- Erros acontecem. Você e eu...

279   BOM SENSO DESASSOMBRADO

-- Quase não ouvimos falar...

283   VOCÊ NÃO ESTÁ SOZINHO

-- Às vezes eu sinto...

285   TEMPO DE NASCER, MORRER E CRESCER

-- A morte é como o nascimento,...

TERCIRA PARTE
ATITUDE

291   Queime este Livro

-- Assim como é possível...

Prefácio

Sempre pensei que prefaciar um livro fosse uma tarefa para pessoas especiais, dotadas de enorme bagagem cultural. Afinal, é preciso ter muito conhecimento sobre um tema para comentá-lo antes que o próprio autor o faça. Ou então, uma tarefa para autores-celebridade que, motivados por questões afetivas, jamais negariam um favor desse a um companheiro de letras. Mas assim que recebi essa obra em mãos, deixei de filosofar sobre essa questão. Afinal, a capacidade de renascer das próprias cinzas sempre mexeu com a minha imaginação. E foi justamente por meio da imaginação e da criatividade que eu consegui transformar minha vida por completo.

Conheci os livros do projeto *Insight* poucos anos atrás. Mas logo me apaixonei pelas histórias ali descritas. Daniel Luz tem um talento todo especial para atingir o coração do leitor, órgão que julgo ser responsável por aquela pitada de loucura fundamental em nossas vidas. Filósofo de formação, porém influenciado pelo ambiente empresarial, Daniel Luz expressa sua visão do ser-humano em ritmo de bate-papo, característica do bom palestrante.

Ao longo de sua obra, Daniel fala de vida e sentimento sempre nos remetendo a frases memoráveis – proferidas pelos grandes pensadores - e a passagens vividas pelos imortais da nossa história. Seu objetivo é abalar a mesmice vivida no cotidiano pela maioria das pessoas, pois para ele, há apenas dois tipos de indivíduos: os que bancam seus desejos e aqueles que tem medo de enfrentálos. Esses últimos, ao persistirem nessa atitude, acabam condenados a uma existência incompleta; a uma vida mal aproveitada. E é justamente nesse ponto que me identifico com a obra de Daniel Luz.

O grande mérito de Fênix é dar a devida atenção àquele desejo secreto de recomeçar do zero, principalmente quando nada vai bem, ou nada nos faz bem. O livro alimenta a vontade que todos nós temos de desativar aquelas engrenagens pesadas e enferrujadas que tornaram nossa existência mecânica. Tudo em favor da invenção de um futuro novo e repleto de emoções.

A obra ainda fortalece o leitor com a coragem necessária para fazer o que deve ser feito, ou seja, tomar decisões difíceis porém indispensáveis a uma existência mais plena de sentido. E somente quem superou grandes adversidades é capaz de escrever sobre a Fênix, essa ave mitológica tão presente em culturas distintas.

Algo que Daniel Luz faz com maestria. Boa leitura.

LUCILIA DINIZ

Empresária, consultora de
alimentação saudável
e autora do bestseller
O Prazer de Viver Light

Introdução

Parece fácil ler um livro. Você pega o livro, abre, fixa seus olhos e começa a percorrer as linhas. Bem, talvez sim, talvez não. Para dizer a verdade, nem sempre. Como um apaixonado por livros, tem de ser amor à primeira vista. Preciso sentir uma afinidade imediata com o autor, pensar que o livro foi escrito para mim e ficar me perguntando por que não havia encontrado este livro antes.

Este é um livro para você dar a si mesmo.

Você pode dar um exemplar para outra pessoa também. Mas guarde um para você. Ele deve ser lido muitas vezes, rabiscado e anotado. Ele não foi feito para ficar em uma estante na biblioteca ou jogado em um lugar vago da mesinha do café. Este livro tem o propósito de ser usado. E se a capa ficar velha, se começarem a aparecer orelhas e as páginas amarelarem, ótimo!

O livro foi concebido de maneira que permita tanto uma leitura linear, do início ao fim, quanto um acesso fácil e pontual.

Este não é um desses livros que prometem magicamente "mudar a sua vida". Não acredito nisso. Mas certamente o levará a pensar sobre a sua vida de uma maneira diferente.

Eu espero que você sinta que este livro foi escrito para você.

Boa leitura!

DANIEL DE CARVALHO LUZ

Comentários Iniciais

"Morremos muitas vezes nesta vida, não apenas fisicamente — no prazo de sete anos, todas as células do nosso corpo são renovadas —, mas também emocional e espiritualmente, porque as mudanças nos seguram pela nuca e nos empurram para frente, para uma outra vida. Não estamos aqui para simplesmente existir, mas para crescer."

SUSAN HOWATCH

Algumas de nossas histórias mais conhecidas, da Antiguidade aos dias de hoje, ilustram a transformação pessoal que pode ocorrer quando alguém completa um ciclo de sofrimento, renascimento e crescimento. Esse processo está profundamente enraizado em nossa história e seu conhecimento pode nos sustentar quando atravessamos nossos próprios ciclos de dor.

A história de Jó, no Velho Testamento, é um exemplo interessante. De acordo com a Bíblia, ele era o homem mais poderoso de todo Oriente. Possuía milhares de camelos, bois, ovelhas, burros e escravos. Tinha sete filhos e três filhas. Apesar disso tudo, seu inferno pessoal durou muitos e muitos dias. Foi, de fato, uma experiência profundamente pessoal. Antes mesmo que um portador de más noticias partisse, outro chegava: seus burros e bois haviam sido roubados, e os homens que cuidavam deles, mortos; as ovelhas e os pastores morreram vitimados por raios em uma tempestade; um bando de malfeitores roubou seus camelos. Por fim, chegou a pior notícia de todas: durante um banquete, o teto da casa desabou, matando seus filhos, noras e filhas. Ele perdeu a família e todos os seus bens materiais.

E qual foi a reação de Jó? Caiu de joelhos e disse: "O Senhor deu, o Senhor tirou, abençoado seja o nome do Senhor!".

A história conta que Jó recebe de volta todos os seus bens em dobro e que viveu mais cem anos. Em outras palavras, quando ele deixa de reagir defensivamente diante das perdas e aceita a responsabilidade pelo presente, então é transformado. Fica em paz e mais uma vez sua vida se enche de prosperidade.

Toda a história de Jó gira em torno de suas dolorosas reações emocionais. Quarenta e um capítulos descrevem sua dor, e o último refere-se à sua aceitação de uma nova realidade, a uma profunda iluminação, a uma descoberta: "Falei de coisas que não entendia, maravilhosas demais para a minha compreensão" (Jó 42:3).

Quando Jó fez alusão às coisas que não entendia, tenho certeza de que se referia ao fato de ter descoberto que todas as mudanças e perdas fazem parte de ciclos: sofrimento, renascimento e crescimento.

Dividi o livro em duas partes; na primeira falo sobre sofrimento e renascimento, falo de homens e mulheres que mudaram a história da humanidade através de sua luta contra as adversidades, injustiças, doenças e sofrimento. Na segunda parte falo do crescimento ou como agir depois da tragédia, como continuar a crescer e ser uma pessoa melhor.

Primeira Parte
Renascimento

Fênix

"O teste do sucesso não é o que você faz quando está por cima.

Sucesso é a altura que você atinge quando dá a volta por cima depois de chegar ao fundo do poço."

GEORGE S. PATTON

No dia 29 de janeiro de 1996, uma labareda tomou conta de uma das construções mais valiosas de Veneza: a casa de ópera La Fenice, de 204 anos de idade. Centenas de pessoas viram o edifício ser consumido pelas chamas.

Isso causou tristeza? Sem dúvida. Causou desespero? Não. A construção da La Fenice já havia sido retardada em 1792 por causa de um incêndio. Outro incêndio, em 1836, obrigou a população a reconstruir a casa de ópera. Também, após o incêndio de 1996, os venezianos começaram a reconstruí-la.

Por coincidência, La Fenice significa "a Fênix", referindo-se à ave mitológica de grande porte que merecia o título de animal mais raro da face da Terra, simplesmente por ser a única de sua espécie.

FÊNIX - Renascendo das Cinzas

A Fênix possuía uma parte da plumagem feita de ouro e a outra colorida de um vermelho incomparável. A isso ainda aliava uma longevidade jamais observada em nenhum outro animal. Seu *habitat* era os desertos escaldantes e inóspitos da Arábia, o que justificava sua fama de quase nunca ter sido vista por ninguém.

Quando a Fênix percebia que sua vida secular estava chegando ao fim, fazia um ninho com ervas aromáticas, que entrava em combustão ao ser exposto aos raios do Sol. Em seguida, atirava-se em meio às chamas para ser consumida até quase não deixar vestígios. Do pouco que sobrava de seus restos mortais, arrastava-se milagrosamente uma espécie de verme que se desenvolvia de maneira rápida para se transformar em uma nova ave, idêntica à que havia morrido.

A crença nessa ave lendária figura na mitologia de vários e diferentes povos antigos, tais como gregos, egípcios e chineses. Apesar disso, em todas essas civilizações, seu mito preserva o mesmo significado simbólico: o renascer das próprias cinzas.

Até hoje, essa ideia é bastante conhecida e explorada simbolicamente.

Podemos restaurar o que os incêndios destroem em nossa vida? Às vezes. Em outras circunstâncias é melhor que as cinzas sejam esquecidas, para que algo completamente novo seja construído.

Renascer é o processo através do qual você lamenta a sua perda e depois se levanta e começa tudo de novo. É um dos principais segredos para alcançar o sucesso. As pessoas realizadas são aquelas que nunca desistiram de tentar ser assim.

Enquanto você está processando integralmente os aspectos físico, psicológico e emocional da decepção, vai começar a notar que continua vivo. Algumas pessoas pensam que não podem suportar aquela crise de jeito nenhum porque é demais para elas. Conscientizar-se de que você é um sobrevivente daquela experiência ruim é muito importante. Isso é chamado de viver o tempo presente.

Você não está mais revivendo repetidamente o passado na sua cabeça. Está pronto para viver o presente, aqui e agora.

O que aflora em seguida é a noção de que pode existir um futuro. Considerar um futuro significa preparar-se para olhar para frente e imaginar que existem opções.

A criatividade entra no quadro quando você acredita que na verdade poderia visualizar uma vida, elaborar um plano para concretizá-la e então resolver avançar passo a passo. Você considera as possibilidades que nunca imaginou e começa a estabelecer objetivos, atividades que o colocam mais uma vez no tabuleiro do jogo da vida.

Será preciso avaliar se é mais sensato continuar a batalhar pelo mesmo objetivo que perseguia antes, ou se é melhor formular uma nova meta. Também terá de determinar um novo curso de ação, construído sobre as lições que aprendeu com a crise, revisando seus planos em tudo que for necessário.

Depois de uma decepção, seus objetivos iniciais não serão monumentais. Serão passos minúsculos de bebê que vão aumentando aos poucos. Não serão passos para trás, retrocedendo aos velhos e bons tempos, nem farão com que você ande em círculos, sem saber direito o que fazer com sua vida. Esses novos passos serão dados para frente, na direção do seu futuro. Seu novo futuro pode até ser semelhante ao passado, antes da crise, mas agora você pode abordá-lo com olhos mais abertos e com a vantagem do conhecimento que adquiriu.

Apesar de não serem passos gigantescos associados a conquistas significativas, seus objetivos novos o levarão na direção certa. Não deixe de reconhecê-los. Tenha o cuidado de não menosprezá-los, desacreditá-los ou desqualificá-los por não estarem no mesmo nível das realizações anteriores. Parte desse processo de andar para frente é dar-se permissão para estar em um nível diferente, apesar de novo, de realização. Como diz o ditado, as vezes você precisa "ir mais devagar para ir mais depressa".

Algumas vezes, como a Fênix, temos de renascer das cinzas, devemos passar pelo fogo e sair fortalecidos, renovados e renascidos.

[...] "O espírito humano é virtualmente indestrutível, e sua capacidade de erguer-se das cinzas permanece enquanto o corpo respira."

ALICE MILLER

Contrariando as Previsões

"Sem fé, nada mais nos restaria além de um destino tenebroso, a cada dia. E isso nos levaria à derrota."

LANCE ARMSTRONG

Lance Armstrong, em 1999, tornou-se o segundo ciclista norte-americano a vencer a volta da França, o mais prestigiado evento ciclístico profissional do mundo (os ciclistas pedalam por 3,8 mil quilômetros em uma cansativa corrida de três semanas). Quando Armstrong venceu, um jornalista perguntou à sua mãe, Linda, quem esperava por ele na linha de chegada em Paris, uma vez que a vitória dele contrariava as previsões. A resposta dela foi enfática: "Toda a vida de Lance contrariou as previsões".

Lance Armstrong enfrentou uma série de fatores que conspiraram contra seu crescimento. Sua mãe tinha apenas dezessete anos quando ele nasceu, e durante muito tempo o sustentou sozinha.

FÊNIX - Renascendo das Cinzas

Eles estavam frequentemente às voltas com problemas financeiros. E Lance geralmente se sentia marginalizado. No Texas, o esporte de maior prestígio é o futebol americano. Armstrong conta que ele não tinha coordenação motora para nenhuma atividade esportiva que envolvesse jogo de bola, por isso passou a buscar outras atividades que exigissem resistência. Na quinta série, ele disputou uma corrida de longa distância e venceu. Mais adiante passou a integrar uma equipe de natação como terapia para se tornar o quarto melhor nadador do Texas nos 1.500 metros livres. Ele era capaz de nadar quatro quilômetros diariamente, antes de ir para a escola, e voltar à tarde para nadar mais seis quilômetros. Logo passou a pedalar como parte do treinamento – mais de trinta quilômetros ida e volta.

Aos 13 anos, ele participou de uma competição chamada Iron Kids (garotos de ferro). Era um triatlo juvenil, que combinava natação, ciclismo e corrida a pé. Ele venceu com facilidade. Quando completou quinze anos, começou a competir com adultos. Chegou em 32º lugar em sua primeira corrida. Depois da prova, declarou a uma repórter: "Penso que, dentro de alguns anos, estarei perto dos melhores e, em dez anos, serei o número um".

Armstrong era escarnecido por seus amigos, que riam dele e o achavam arrogante. No ano seguinte, ele chegou em quinto lugar na mesma corrida; então eles pararam de rir.

Quando Lance tinha dezesseis anos, já ganhava vinte mil dólares por ano, participando e vencendo triatlos e corridas de longa distância pelo país. Ele também provou pela primeira vez o gostinho de correr de bicicleta. Era tão bom nesse esporte que passou rapidamente para a categoria mais competitiva e começou a treinar com os melhores ciclistas locais.

Com o tempo, Armstrong passou a se concentrar totalmente no ciclismo. Ele alcançou sucesso nos Estados Unidos, mas queria correr na Europa, onde os melhores atletas competiam. Sua primeira corrida profissional, a clássica San Sebastian, na Espanha, ficou na memória. Ele terminou em último lugar, 27 minutos atrás do vencedor – um resultado terrível. A multidão espanhola ao longo do percurso escarnecia dele.

Lance confessaria mais tarde que sentiu vontade de abandonar o esporte. Talvez devesse encontrar alguma coisa diferente para fazer, algo em que realmente fosse bom.

As palavras de sua mãe vinham-lhe com frequência à mente: "Faça do obstáculo uma oportunidade. Transforme o negativo em positivo. Se você não colocar 100% no que faz, não conseguirá realizar. Nunca desista!".

Em 1996, aos 25 anos, Armstrong era o melhor ciclista do mundo. Parecia que ele tinha finalmente conseguido o que queria. Tinha uma vida tranquila. Estava no melhor de sua forma física. Vencia corridas disputadas com os melhores da Europa. Foi então que passou a sentir uma dor intensa na virilha e a expelir sangue quando tossia. Ao consultar um médico, descobriu que tinha câncer em um dos testículos. E as notícias foram ficando piores: o câncer havia se espalhado, penetrando os pulmões, e o prognóstico era sombrio. Apesar de tudo aquilo, ele manteve a atitude positiva e o espírito de luta. Até que descobriram que ele tinha câncer no cérebro.

"Eu encontrara um muro", diz Armstrong. "Por mais que eu quisesse me manter positivo e valente, tudo o que eu sabia era que, quando uma pessoa tem câncer no cérebro, ela morre".

Armstrong passou por uma cirurgia no cérebro e outra para remover o testículo canceroso.

Então, teve início um penoso processo de quimioterapia. Os médicos lhe disseram que tinha 50% de chance de sobreviver. Depois de terminar seu tratamento e a recuperação parecer garantida, um médico admitiu que o caso do atleta era o pior que já tinha visto, e que, na verdade, ele não lhe teria dado mais do que 3% de chance de sobrevivência.

Durante todo o processo Armstrong administrou sua atitude, de maneira que conseguiu manter-se positivo. Ele acredita que "a esperança é o único antídoto contra o medo". Quando questionado se os rigores do tratamento contra o câncer o haviam deprimido, Armstrong disse que não, e explicou: "Eu pensava que a sensação de depressão era prejudicial... Devo dizer que foi um período muito positivo em minha vida."

Sobreviver ao câncer com atitude positiva intacta é uma grande façanha. Mas Armstrong queria algo mais. Ele queria começar a correr novamente. Ele passou por momentos difíceis no retorno às competições. Chegou ao ponto de desistir no meio de uma prova – algo que ele jamais havia feito antes. "Na linha de largada, sentei dentro de um carro, tentando me manter aquecido, e pensei sobre o quanto eu queria não estar ali", conta. "Quando você começa a pensar desta forma, é provável que as coisas não venham a melhorar. No momento em que saí do carro e enfrentei o frio, minha atitude piorou". Mas ele conseguiu superar esse retrocesso de atitude, e prosseguiu. Ganhou não apenas uma, mas cinco Voltas da França consecutivas!

Armstrong sabe quão importante é manter uma atitude positiva. Ele comentou:

Sem fé, nada mais nos restaria além de um destino tenebroso, a cada dia. E isso nos levaria à derrota. Até descobrir o câncer, eu não conseguia ver plenamente como lutamos todos os dias contra os fatores negativos do mundo, como enfrentamos diariamente a ação corrosiva do cinismo.

FÊNIX - Renascendo das Cinzas

Desânimo e decepção: estes eram os perigos verdadeiros da vida, e não uma doença repentina ou uma catástrofe apocalíptica de fim de milênio.

Depois de vencer sua primeira volta da França, em 1999, Armstrong conversou com repórteres, e pediu a eles que registrassem seu conselho aos leitores: "Gostaria de dizer apenas uma coisa: se você tiver uma segunda oportunidade na vida para realizar qualquer coisa, aproveite-a até o fim".

Quero reforçar com o mesmo conselho: se sua atitude não foi muito boa no passado, aproveite sua segunda chance. Você pode mudar a situação. Você pode optar por uma atitude positiva e administrar essa decisão diariamente. Quando fizer isso, um mundo inteiro de novas possibilidades se abrirá para você.

O dia 18 de abril de 2005 deixou triste o mundo do esporte. Lance Armstrong anunciou sua aposentadoria para depois da Volta da França deste ano. E no dia 24 de julho, Lance obteve a vitória na sua prova de despedida, fechando com chave de ouro uma história que é uma gigantesca lição de vida.

"Se me pedissem para expressar em poucas palavras a essência de tudo que tentei dizer como romancista e pregador, sairia alguma coisa como: escute a sua vida. Perceba o insondável mistério que ela é, tanto na monotonia como na dor que contém, e não menos que em sua euforia e alegrias: sinta, saboreie, fareje seu caminho até o sagrado e oculto coração de sua vida, porque em última análise todos os momentos são críticos, e a vida em si é uma dádiva."

FREDERICK BUEHNER

O Melhor Presente de Todos

"Aquele que não consegue perdoar os outros derruba a ponte sobre a qual ele mesmo precisa passar; porque todo homem precisa ser perdoado."

THOMAS FULLER

(1608-61) HISTORIADOR INGLÊS

Todo mundo precisa dele, mas poucos o recebem. Ele beneficia tanto àquele que dá quanto a quem recebe. E você não pode comprá-lo, pois ele só pode ser dado espontaneamente. Você já deve saber o que é: o perdão.

Perdão significa liberdade – libertamo-nos do orgulho, do ressentimento e da amargura. Recomeçamos outra vez e em certo sentido renascemos.

O perdão, portanto, não é um sentimento, é uma decisão que vem do coração.

A foto da garota Kim Phuc, nua, fugindo de seu povoado que estava sendo bombardeado com napalm, gelatina incendiária, até hoje é lembrada como uma das mais terríveis imagens da Guerra do Vietnã.

FÊNIX - Renascendo das Cinzas

Um garoto de calção escuro chorando. Duas crianças correndo de mãos dadas. E então a menina, no centro da foto, correndo em direção à câmera, com os braços abertos e as roupas queimadas. Sua pele estava escurecida por napalm, a terrível substância gelatinosa incendiária, e as mãos caídas inertes, enquanto a boca gritava de dor e os olhos refletiam o horror do céu escuro que explodia atrás dela.

No dia em que a foto foi tirada, dois jornalistas, Chris Wain, da Inglaterra, e o fotógrafo-jornalista vietnamita, Nick Ut, estavam acompanhando uma unidade de patrulha por terra, fora da vila de Trang Bang, a cerca de 40 quilômetros a leste de Saigon.

Rápida e instintivamente, o fotógrafo-jornalista bateu a foto da cena. Depois os dois homens pegaram a menina em seus braços e deram-lhe um pouco de água. Em seguida, esvaziaram um cantil de água sobre os seus ombros queimados, colocaram uma capa impermeável de chuva em sua volta e a levaram para o hospital no Jeep. No caminho, ela ficou inconsciente.

Chris e Nick eram ambos correspondentes de guerra há muito tempo, mas nenhum deles jamais testemunhara nada igual. No dia seguinte, Chris e seu cinegrafista Michael Blakey, visitaram a menina no hospital. Ela estava deitada de bruços, inconsciente, sofrendo com queimaduras de terceiro grau por toda a extensão de suas costas e nos braços, especialmente o braço esquerdo. Eles descobriram que o nome da menina era Kim Phuc, que significava "Alegria Dourada".

Chris perguntou a uma enfermeira sobre o prognóstico médico da menina.

"Oh, ela?", disse a enfermeira com indiferença, "Ela morrerá, talvez amanhã, talvez depois de amanhã".

Depois de 14 meses no hospital e 17 cirurgias, Kim Phuc estava liberada e retornou para casa. Muitos anos depois, ela era apenas uma adolescente anônima que sempre usava mangas longas para cobrir as cicatrizes e que se preocupava achando que elas eram tão feias que ninguém nunca iria se casar com ela.

Kim tornou-se cada vez mais deprimida. Refugiava-se na biblioteca local, onde lia vorazmente. E foi lá que leu o Novo Testamento pela primeira vez.

A descrição de Jesus era muito diferente do que aprendera sobre ele no Cao Dai e consequentemente começou a questionar sua fé de infância. Cao Dai parecia sem poder para curá-la da depressão, ainda que orasse mais de quatro vezes por dia no templo.

Em 1986, Kim mudou-se para Cuba para terminar seus estudos de medicina e lá conheceu Tuan, com quem se casaria em 1992.

Kim e Tuan foram passar a lua-de-mel em Moscou, e no voo de volta para Cuba o avião fez escala para reabastecer em Newfoundland, no Canadá.

Kim e Tuan pediram asilo às autoridades locais e passaram a viver no Canadá, ficando estabelecidos em uma comunidade de imigrantes vietnamitas em Toronto.

Em 1996, Kim concordou em falar em uma cerimônia do Dia dos Veteranos que ocorreu em Washington D.C., na alameda onde fica o monumento aos soldados mortos no Vietnã. Ela tomou o lugar no palanque escoltada por dignitários militares americanos, diante de uma grande multidão de veteranos.

Ninguém poderia dizer o quanto custava para ela somente ficar em pé e encarar aquele mar de uniformes, uma visão que trouxe de volta memórias terríveis da guerra.

"Como vocês sabem, eu sou a garota que estava correndo para escapar do fogo de napalm. Eu não quero falar sobre a guerra porque não posso mudar a história. Só quero que vocês se lembrem da tragédia da guerra e façam coisas para que as pessoas parem de brigar e matar ao redor do mundo."

Sua voz caiu de tom: "Tenho sofrido muito, tanto dor física como emocional. Algumas vezes pensei que não poderia viver, mas Deus salvou a minha vida e me deu fé e esperança".

E então proferiu saradoras palavras de graça e perdão: "Se eu pudesse falar face a face com o piloto que soltou a bomba, diria para ele que não podemos mudar a história, mas deveríamos tentar fazer boas coisas pelo presente e pelo futuro para promover a paz".

Quando terminou o breve mas comovente discurso, os veteranos colocaram-se em pé em uma explosão de aplausos, muitos deles em lágrimas. "É muito importante para nós que ela esteja aqui". Um veterano afirmou. "Pois ela nos perdoar pessoalmente significa muito para nós".

Um homem, vencido pela emoção, correu para um soldado de patrulha e rascunhou uma nota, pedindo-lhe para entregá-la a Kim. "Eu sou o homem que você está procurando", dizia a nota.

Intermediários perguntaram se ela queria vê-lo. Sim, ela respondeu, se pudessem preparar o encontro longe daquela multidão. Os oficiais trouxeram o homem para o carro da jovem.

Quando os repórteres saíram do caminho, Kim virou e olhou direto nos olhos do homem e levantou seus braços... os mesmos braços que levantara quando corria pela rua, em agonia, com a pele queimando. Ela abraçou o homem, e ele começou a soluçar.

— Perdoe-me. Eu estou muito arrependido! —, ele suplicou.

— Tudo bem. Eu o perdoo. Eu o perdoo —, respondeu Kim Phuc.

FÊNIX - Renascendo das Cinzas

Quando nos confrontamos com alguém que nos constrangeu, ofendeu ou prejudicou, devemos nos lembrar de que não ganhamos nada por guardar rancor em nosso coração. O perdão requer um processo de cicatrização dentro de nós, que nos faz parar de sofrer quando nos lembramos do que a outra pessoa fez ou disse.

Só "esquecemos" quando as mágoas deixam de existir! Quando você se comprometer a perdoar alguém, peça a Deus que o livre do impacto do comportamento dessa pessoa em sua vida. Perdoe, esqueça e comece a viver novamente.

P.S.

Kim é hoje Embaixadora da Boa-Vontade da Unesco e mantém uma entidade que ajuda crianças vítimas de guerra, a Kim Foundation International, com escritórios nos Estados Unidos e no Canadá.

"O perdão é a chave que abre a porta do ressentimento e as algemas do ódio.
É um poder que rompe as correntes da amargura e os grilhões do egoísmo".

WILLIAN ARTHUR WARD

Segundo Ato

"Não existe segundo ato na vida..."
F. SCOTT FITZGERALD

Ele era brilhante. Claramente um prodígio... o orgulho de Salzburg... um artista por excelência.

Com cinco anos escreveu um avançado concerto para harpa. Antes de completar dez anos tinha composto e publicado várias sonatas para violino e estava tocando de memória o melhor de Bach e Handel. Um pouco antes de seu aniversário de doze anos ele compôs e dirigiu sua primeira ópera... e foi premiado com uma indicação honorária para maestro da Orquestra Sinfônica de Salzburg. Antes que a sua breve vida acabasse, tinha escrito numerosas operetas, cantatas, hinos, oratórios, quarenta e oito sinfonias, quarenta e sete árias, duetos, quartetos com acompanhamentos de orquestra e mais de doze óperas. Mais de 600 trabalhos!

Seu nome oficial era Johanes Chrysostomus Wolfgangus Amadeus Theophilus Mozart. Com um nome igual a esse, tinha de ser famoso.

Mozart estava somente com trinta e cinco anos quando morreu. Vivia na pobreza e morreu na obscuridade. Sua doente viúva estava indiferente em seu velório. Uns poucos amigos foram até a igreja para seu funeral, mas desistiram de ir até seu túmulo por causa de uma tempestade.

Quando alguém se preocupou em descobrir o lugar onde ele foi enterrado, já era impossível fazê-lo. O não

FÊNIX - Renascendo das Cinzas

conhecido túmulo de Mozart – possivelmente o compositor mais talentoso de todos os tempos – se perdeu para sempre. Nenhum santuário marca o seu lugar de descanso, para que os amantes da música possam visitar. Não há nenhuma frase gravada em granito para que os admiradores possam ler, nenhum lugar para queimar velas, colocar flores e para os turistas se reunirem. Mozart foi à eternidade sem deixar nenhum sinal. Ele se foi.

Será? Ao contrário de César, o bem que ele fez sobreviveu a sua morte. O mal está enterrado com seus ossos. Somente poucos críticos musicais poderiam começar a listar três ou quatro defeitos desse artista nascido na Áustria. Qual o bem que sobrevive? Suas contribuições únicas: seu estilo, suas inovações eminentes, aquele "toque de Mozart". Nenhum outro soa como ele. Isso é o que ele é, muitas coisas ao mesmo tempo. Um troféu eterno, um legado, criado por um gênio, capturado na música, que traz prazer e admiração a infindáveis gerações.

Em sua música, Mozart vive indefinidamente.

Há alguns anos visitei a cidade de Salzburg na Áustria, onde viveu o grande Mozart, e, em um final de tarde, caminhei em um cemitério. Tentei decifrar o que lia em algumas lápides. Não consegui, mas jamais esquecerei o que aprendi naquele local.

Primeiro, a vida é breve. Terrivelmente breve. Em cada lápide existe um pequeno traço... uma linha horizontal... ilustrando o tempo. No túmulo de Mozart (onde quer que esteja), está escrito:

1756-1791

É isso. Mas se esse "traço" pudesse falar! Ele nos ensinaria a próxima lição.

Segundo, a oportunidade é agora. Não depois, agora. Sua contribuição, por menor que possa parecer, é única e totalmente sua. O que quer que seja – será transformada em seu troféu eterno, seu legado, no qual você trabalha diariamente.

Um antigo ditado diz: "Quatro coisas nunca voltam: a palavra dita, a flecha lançada, o passar do tempo e a oportunidade negligenciada".

Terceiro, a morte é certa. Você não escapará dela. E ela chegará, meu amigo. E quando chegar, talvez você pareça insignificante para os outros, como Mozart parecia. Esquecido, talvez. A única coisa que irá sobreviver será sua contribuição pessoal, seus investimentos durante a vida. Não será seu nome... seu túmulo... mas seu legado.

Está bem, você não é tão brilhante, nem um prodígio, ou um compositor de sinfonias. O que você é? A mãe de dois, três filhos? Um executivo, um vendedor, um oficial militar aposentado, um estudante, uma enfermeira? Um divorciado, um professor, uma viúva, um fazendeiro? Seu legado é a sua contribuição – qualquer coisa que seja, em qualquer hora que aconteça. Conhecida ou desconhecida. É o seu investimento, seu toque "especial", aquilo que vai sobreviver muito além de sua morte.

Scott Fitzgerald disse que não há segundo ato na vida. Ele estava errado. Você tem direito a um segundo ato. Enquanto estiver entre os dois extremos do traço, entre as duas datas, uma conhecida e outra completamente desconhecida, você pode levar a vida que sempre quis, seja qual for sua idade ou fase em que está.

O sonho que, segundo você, se tornou impossível com a idade avançada, com as novas obrigações ou com o aumento de responsabilidade, pode se tornar realidade. Os desejos que vêm sendo adiados, na expectativa de que as estrelas estejam na posição certa, podem ser realizados hoje.

Você tem direito a um segundo ato. Não importa se é viúvo, tem setenta anos e vive de salário. Não importa se têm filhos na faculdade e milhares de dívidas no cartão de crédito. Não importa se você é um profissional, ou gerente desempregado com compulsão por trabalho, ou um corretor da bolsa estafado, ou ainda uma dona de casa e mãe angustiada.

Ninguém tem o direito de lhe dizer "Não, você não pode fazer aquilo", ou "Você tem de fazer isso" – nem mesmo aquela voz negativa e dominadora dentro de sua cabeça. O único parâmetro de que você necessita para se comparar com outros é aquele que existe em seu coração. No final, nada, além das suas inibições internas, inseguranças e medos, vai ficar no seu caminho.

O seu segundo ato não vai ser indolor. Talvez você precise fazer sacrifícios e conciliações. Deverá aprender novas habilidades e algum jargão. E isso pode levar algum tempo. Contudo, uma vida nova, com conteúdo e significado, não pode ser construída em um só dia. Esse é um caso em que alguma dor e um pouco de medo são provavelmente boas coisas. Se o seu segundo ato for indolor e sem medo algum, você não está se lançando na nova vida que de fato deseja. Apresse-se, a vida aceita diversos segundos atos, mas um deles será o ato final e até lá você já deverá ter construído um legado para deixar.

> "A pedra não pode ser polida sem fricção, nem o homem aperfeiçoado sem tentativas."
>
> PROVÉRBIO CHINÊS

Feridas Secretas

"Sobem da cidade os gemidos dos que estão para morrer, e as almas dos feridos clamam por socorro."

LIVRO DE JÓ 24: 12

Visualize a cena... uma grande metrópole... velocidade... movimento... barulho. Centenas de prédios, milhares de apartamentos, casas e restaurantes, supermercados, carros, bicicletas e crianças. Tudo isso é óbvio. Qualquer morador de uma grande cidade poderia descrever a cena e delinear a ação.

Mas existe mais. Por detrás e sob a barulhenta onda de atividade humana existem dores invisíveis. Jó as chama de "gemido". No contexto do livro de Jó, a palavra sugere que esse gemido vem daquele que foi ferido. Talvez seja por isso que Jó coloca o próximo verso em forma poética: "a alma dos feridos clama...". O texto nos faz imaginar alguém trespassado, como quem foi apunhalado. Não uma punhalada física – por isso "a alma" está clamando. O que ele estava querendo dizer?

Aqueles que sofrem com os golpes das "punhaladas na alma", adquirem feridas que podem ser muito mais dolorosas e devastadoras que as "pu-

FÊNIX - Renascendo das Cinzas

nhaladas físicas". Jó estava se referindo às profundas lacerações do coração – invisíveis e internos machucados que nenhum cirurgião do mundo poderia detectar. Essa cidade está repleta dessas feridas. É uma cena perturbadora... mas dolorosamente verdadeira. Feridas, partidas, machucadas, muitas pessoas clamam com gemidos do seu mais íntimo ser.

Talvez isso descreva o seu hoje. Você pode estar "clamando" porque foi mal atendido ou tratado injustamente. A ferida é profunda porque quem desferiu o golpe era alguém em quem você confiava e a quem respeitava... alguém para quem se mostrava vulnerável... alguém que amava. É possível que a sua dor provenha do golpe desferido pela língua de alguém. Um indivíduo que disse coisas que não eram verdadeiras.

Talvez o comentário tenha sido feito somente por alto, mas cortou o tecido e perfurou profundamente. A pessoa que fez o comentário nunca vai saber. Mas você vai... enquanto aguentar... ficar quieto... e sangrar.

Provavelmente, muitos estão vivendo com machucados trazidos de um passado de fracasso e perseguições, que parece que não conseguirão apagar. Algumas vezes, quando você está sozinho, o passado o encobre como uma louca onda do oceano e o submerge. A ferida está aberta, o machucado permanece inflamado e dolorido, e você pergunta se vai sarar algum dia.

É tempo de apagar o passado, de limpar a lousa, de reescrever a sua história. É tempo de ressurgir.

A interessante parábola, contada a seguir, transmite essa ideia.

Um velho estalajadeiro tinha dois livros de registro. No primeiro, ele listava todos os erros que havia cometido durante o ano, e, no segundo, listava tudo o que de mau lhe havia acontecido, nesse mesmo ano. Então, no último dia do ano, primeiro ele lia o livro detalhando seus defeitos e erros. Quando terminava, apanhava o segundo livro e lia todas as desgraças que lhe haviam acontecido nesse ano.

Após a leitura, o estalajadeiro fechava os livros, unia as mãos em prece e erguia os olhos ao céu. "Querido Deus", ele orava. "Tenho muitas falhas a lhe confessar. Mas você me mandou muitos infortúnios também. Então, agora estamos começando um ano novo, peço-lhe para limpar a lousa. Eu o perdoo e você me perdoa".

Em todas as interações em que você se envolve, tente manter em mente que sempre há dois registros – um cheio com seus erros e imperfeições e outro com todas as mágoas e sofrimentos que lhe causaram feridas. Quando sentir ressentimento, lembre-se dos dois lados. Empregue sua energia em limpar a própria lousa. Você não irá apagar a memória, mas as emoções amargas, os ressentimentos e a raiva que estão ligados à memória e que mantêm as feridas abertas. É hora de apagar, de cicatrizar as feridas secretas. É tempo de parar de viver de suspiros e sofrimentos por causa da tristeza que o acomete quando lembra do problema. É tempo de levantar monumentos onde antes choramos e sangramos, onde nossas vidas foram feridas e nossos corações doeram, quando nos sentimos deslocados e destruídos. Mas, esquecendo o que para trás fica, nos movemos para o que está a nossa frente... é desse modo que devemos prosseguir!

Isso não significa que apenas esquecemos o passado, proclamando: "É mesmo. Foi terrível". Em vez disso, cada um de nós construa seu próprio memorial – monumentos mentais que transformem tragédias em triunfos, agonias em êxtase, devastação em comemoração.

"A alma tem o poder de, nos momentos supremos de aflição, suspender-se ao fio mais tênue da esperança."

JOSÉ DE ALENCAR

Aquilo que não me Destrói me Torna mais Forte

"O mundo avança graças àqueles que já sofreram."

LEON TOLSTOI

Um artigo publicado em uma respeitável revista médica falava de um estudo baseado em 300 líderes que causaram grande impacto na história do mundo.

Depois de pesquisar algumas características em comum, o autor descobriu que os líderes tinham crescido como órfãos, seja pela separação dos pais, pelo aspecto emocional ou por uma grande perda na infância. A lista incluía nomes como Alexandre, o Grande, Júlio César, Robespierre, George Washington, Napoleão, rainha Vitória e Golda Meir.

Aquilo que não me destrói me torna mais forte; é o título deste texto, mas também uma frase de Martin Luther King Jr.

King, Gandhi, Solzheniëtìsyn, Sakharov, Tutu, Mandela e muitos outros são exemplos vivos de que aquilo que não os destruiu os tornou mais fortes.

FÊNIX - Renascendo das Cinzas

Em meio a circunstâncias capazes de causar destruição, essas pessoas corajosas emergiram com uma força que deixou aturdidas nações inteiras.

Li um comovente relato de um homem que sobreviveu ao Holocausto, seu nome: Elie Wiesel.

Elie nasceu em Sighet, pequena cidade da Romênia, onde a maior parte da população era composta de Judeus. Seus pais tinham uma loja e eram observadores devotos do Judaísmo Hassídico.

Na infância, Wiesel era um estudante aplicado do hebraico e seus pais tinham esperança de que ele se tornasse rabino. Quando tinha 10 anos de idade, ele e a família enfrentaram o nazismo na Alemanha. Poloneses migrantes começaram a chegar em sua cidade com histórias de horror e; em 1940, a cidade de Sighet foi transferida ao controle húngaro. Ainda adolescente Wiesel tentava fugir dos pensamentos da guerra por meio do aumento do fervor religioso e de intensas orações que pediam o apressamento da vinda do Messias. Em 1944, os alemães chegaram em Sighet e logo ordenaram que os cidadãos judeus usassem uma estrela amarela na roupa, se mudassem para os guetos designados e finalmente embarcassem em trens de transporte de gado para serem enviados aos campos de concentração na Alemanha. Wiesel foi mandado para Auschwitz.

Durante oito meses, Wiesel e seu pai sobreviveram ao trabalho escravo em Auschwitz. Então tiveram de suportar árdua marcha até o campo de concentração Buchenwald. Pouco mais de dois meses depois da chegada dos dois, o campo foi liberado. O pai de Wiesel morreu em Buchenwald; sua mãe e irmã mais nova foram vítimas das Câmaras de gás de Auschwitz.

Depois da guerra, Wiesel viveu em várias casas na França, onde estudou e finalmente entrou na Universidade de Sorbonne. Para se sustentar, conseguiu um emprego em um jornal semanal escrito em iídiche (língua germânica falada por Judeus).

Em 1949, viajou para Israel como correspondente de um outro jornal francês e, quando retornou a Paris, conseguiu um emprego como correspondente de Paris para um jornal judaico diário. Na década de 1950 fez muitas viagens como jornalista.

Durante uma entrevista com François Mauriac, ganhador do Prêmio Nobel de Literatura e cristão devoto, Wiesel finalmente se deu conta de que não era mais o entrevistador, mas o entrevistado. Mauriac convenceu-o a escrever sobre suas experiências em Auschwitz, e o resultado foi a obra *Noite*, que lançou Wiesel à fama internacional.

No prefácio de *Noite*, o autor francês François Mauriac descreve seu primeiro encontro com Wiesel, depois de ter ouvido sua história.

[...] Foi então que eu entendi o que havia me intrigado no jovem israelita: aquele olhar, como de um Lázaro levantado dos mortos, mas preso às fronteiras de onde ele havia vagueado entre os chocantes cadáveres.

Para ele, o grito de Nietzche expressava uma realidade quase física: Deus está morto; o Deus de amor, de bondade e do consolo, o Deus de Abrão, de Isaac e de Jacó, sumiu para todo o sempre, sob o olhar fixo desta criança, na fumaça de um holocausto humano.

Será que pensamos na consequência de um horror que, embora aparentemente menos terrível que outras atrocidades, é verdadeiramente pior do que todos os outros para aqueles dentre nós que têm fé: a morte de Deus na alma de uma criança que repentinamente descobre o mal absoluto?

Depois de passar por essa monstruosidade, é possível recomeçar a vida? Será que palavras como esperança, felicidade e alegria ainda podem vir a significar alguma coisa? É admissível falar sobre o valor do sofrimento na construção do caráter?

Elie Wiesel escreveu mais de 55 livros, incluindo novelas, ensaios, peças de teatro, uma cantata e suas próprias memórias.

Wiesel defendeu a causa dos judeus soviéticos na Nigéria, dos índios mesquitos da Nicarágua, das vítimas do apartheid na África do Sul, dos refugiados cambojanos e dos bósnios de Sarajevo. Foi agraciado com o Prêmio Nobel da paz pela sua defesa da paz, da reconciliação e da dignidade humana. Em 1987, ele criou a Fundação Elie Wiesel para a Humanidade, a fim de reunir pessoas para examinar o que constitui o ódio e o fanatismo. Ele continua a chamar as pessoas à lembrança de que o coração humano tem uma tremenda capacidade para o mal e que jamais devemos esquecer este fato, ou nos tornaremos vítimas dele.

Lembre-se: aquilo que não me destrói me torna mais forte.

"O fracasso ou esmaga a vida, ou a solidifica. A ostra ferida enfeita sua casca com uma pérola."

AUTOR NÃO IDENTIFICADO.

Trinta e Nove Anos – Tempo Suficiente

"A vida está lhe ensinando lições dolorosas. Mas é na adversidade que a força nasce. Talvez você tenha perdido o lance, mas sei que vencerá o jogo."

AUTOR NÃO IDENTIFICADO

De 1929 a 1968 são apenas 39 anos. Muito pouco tempo para colher os frutos do seu trabalho. Muito pouco tempo para consolar seus pais quando seu irmão se afoga.

Muito pouco tempo para consolar seu pai quando sua mãe morre. Muito pouco tempo para ver seus filhos terminarem a universidade.

Muito pouco tempo para ter netos. Muito pouco tempo para aposentar-se. Trinta e nove anos é simplesmente muito pouco tempo.

De 1929 a 1968 são apenas 39 anos.

Muito tempo para ficar preso aos grilhões da discriminação. Muito tempo para viver sob uma pressão contínua e sufocante. Trinta e nove anos é simplesmente muito tempo.

FÊNIX - Renascendo das Cinzas

De 1929 a 1968 são apenas 39 anos. Tempo suficiente para ir à Índia aprender com um grande mestre como caminhar através de multidões enfurecidas e manter a calma.

Tempo suficiente para ser caçado por cães da polícia e fustigado pela água de uma mangueira de bombeiro porque estava dramatizando o fato de que a justiça tinha um modo de excluí-lo e aos seus irmãos. É tempo suficiente.

Tempo suficiente para ter uma bomba atirada em sua casa. Tempo suficiente para ensinar homens violentos e enfurecidos a ficarem quietos enquanto rezava por aqueles que jogavam bombas. É tempo suficiente.

Tempo suficiente para levar muitas pessoas ao cristianismo. Tempo suficiente para saber que é melhor ir para a guerra lutar pela justiça do que viver em paz com as injustiças.

Tempo suficiente para saber que mais apavorante do que a intolerância e o ódio são aqueles que veem diariamente injustiças e ficam calados.

Tempo suficiente para falar para milhares de pessoas em centenas de ocasiões. Tempo suficiente para conduzir mais de 200 mil pessoas à capital de sua nação para dizer que todos têm direito à vida, à liberdade e à felicidade.

Tempo suficiente para entrar para a universidade com 15 anos. Tempo suficiente para terminar os estudos e obter vários diplomas. Tempo suficiente para ganhar centenas de prêmios. Tempo suficiente para casar-se e ter quatro filhos.

Tempo suficiente para ganhar um Prêmio Nobel da Paz. Tempo suficiente para doar o prêmio de 54 mil dólares à causa da justiça.

Tempo suficiente para visitar o topo da montanha e certamente tempo suficiente para sonhar.

Quando observamos o quanto Martin Luther King fez em apenas 39 anos, sabemos que esse é o tempo. Trinta e nove anos é tempo suficiente.

Em 1968, em Memphis, Martin Luther King foi assassinado com um tiro de rifle, quando estava na varanda de seu quarto de hotel. Tinha apenas 39 anos de idade.

No final de seu discurso em Memphis, ele disse:

Vamos enfrentar dias difíceis pela frente. No entanto, isso realmente não me importa neste momento. Porque eu cheguei ao topo da montanha... Como qualquer um, eu gostaria de ter uma vida longa... mas não estou preocupado com isso agora; só desejo fazer a vontade de Deus.

Martin viveu muitos séculos em apenas 39 anos. Sua lembrança permanecerá para sempre entre nós.

Martin, como todas as pessoas, teria apreciado a longevidade – contudo, ao analisar os fatos, disse: "O importante não é o quanto um homem vive, mas como usa o tempo que lhe foi concedido".

"Não há cura para o nascimento e para a morte a não ser usufruir o intervalo."

MAURO SANTAYANA

Transformando Tragédia em Triunfo

"Ah, a pior de todas as tragédias não é morrer jovem, mas completar setenta e cinco anos de idade e ainda não ter realmente vivido."

MARTIN LUTHER KING JR

Foi a frustração que instigou Louis a buscar soluções inovadoras, frustração que começou quando ele tinha apenas quatro anos de idade. Enquanto brincava com um furador de couro na loja de selas e arreios de seu pai, Louis sofreu um acidente e feriu o olho esquerdo. A infecção produzida pelo acidente expandiu-se e atingiu o outro olho. O menino ficou completamente cego.

Desde o início, Louis estava determinado a encontrar seu caminho sem precisar de uma bengala ou de ajuda das pessoas. Lenta, mas persistentemente, desenvolveu as habilidades motoras necessárias para se locomover pela casa, pelo quintal e pela cidade.

Quando tinha idade suficiente, seu pai o matriculou em uma escola municipal, onde ouvia com atenção e tentava memorizar cada palavra dita pe-

FÊNIX - Renascendo das Cinzas

los professores. Louis, porém, não podia escrever nem ler, e ficava frustrado por não conseguir acompanhar os colegas de classe.

Aos 10 anos, Louis foi enviado a uma escola para crianças cegas em Paris. Gradualmente, foi se acostumando ao novo ambiente e tornou-se um estudante aplicado de *embossing* – um sistema no qual grandes letras eram esculpidas em baixo relevo em largos blocos de madeira. Os blocos eram malfeitos, difíceis de ter seu conteúdo interpretado, e requeriam um tempo considerável para serem decifrados.

Louis sentia-se empolgado com a possibilidade de aprender a ler e escrever, mas ficava frustrado com a lentidão do processo. Encontrava maior satisfação recebendo aulas de órgão e piano e praticava durante horas.

Por essa época, Charles Barbier de La Serre, um capitão de artilharia, aperfeiçoava um código através de pontos, que podia ser lido com os dedos e que era usado para velar os segredos das mensagens militares e diplomáticas, a que chamou de "escrita noturna".

Fascinado pelo sistema, Louis começou a experimentá-lo a fim de improvisar algumas modificações. Dos 12 aos 15 anos, trabalhou durante longas horas – às vezes durante noites inteiras, em detrimento da própria saúde – para adaptar o sistema de Barbier. O sistema que ele desenvolveu também se baseava em pontos, mas era simples e completo, podendo ser escrito e lido rapidamente; além disso, oferecia a promessa de poder ser usado de muitas formas, além dos livros. Seus colegas da escola e professores rapidamente dominaram o sistema, considerando-o como uma grande melhoria. Seu sistema era aplicável a qualquer linguagem, à matemática, para a escrita à mão ou tipografia. Antes de completar 20 anos de idade, Louis já tinha aplicado seu sistema também às notas musicais.

O maior desafio enfrentado por Louis Braille foi político. Contratos importantes tinham sido firmados com os fabricantes do método *embossing*. Foram necessários mais vinte anos de esforço e frustrações até que o sistema de Braille fosse reconhecido publicamente como o novo padrão. Louis Braille morreu aos 43 anos de idade, depois de anos de enfermidade, sem saber que seu sistema conquistaria aceitação mundial, mas sabendo em seu coração que dera o maior presente aos cegos. A placa na frente da casa onde passou a infância reconhece que ele *"abriu as portas do conhecimento para todos aqueles que não podem ver"*.

O que você acabou de ler é verdadeiro: não é o que acontece a você, mas como você lida com o que lhe acontece é que deve ser considerado. A atitude vai levar você mais longe do que os lamentos provocados por incidentes desafortunados em sua vida. Dê uma chance a ela: Se a perspectiva não é boa, tente a visão geral. Essa é sempre boa.

"O fator mais importante e decisivo na vida não é o que nos acontece, e sim a atitude que adotamos diante do ocorrido.

A revelação mais certa do caráter da pessoa é a maneira como ela suporta o sofrimento.

As circunstâncias e as situações podem colorir a vida, mas Deus nos concedeu a graça de poder escolher a cor..."

CHARLES R. WOODSON

Perdoando para Recomeçar

"A raiva é um ácido que pode prejudicar mais o vaso que o contém do aquilo em que é derramado."

MAHATMA GANDHI

Considero Corrie Ten Boom uma das mais notáveis cristãs do século XX. Sua vida sempre foi fascinante e inspiradora para mim. Não faz muito tempo tive a oportunidade de conhecer sua terra natal e ver onde ela cresceu. Você deve ter conhecimento de que ela e a família pagaram um alto preço por abrigarem judeus durante a perseguição nazista.

O início da vida de Corrie Ten Boom parecia normal e comum em todos os aspectos. Ela cresceu com mais três irmãos em uma família cristã holandesa, cujos membros eram fabricantes de relógios havia várias gerações. A família mantinha contatos comerciais com os judeus da Alemanha, os quais alertaram os Ten Boom sobre os perigos do nazismo.

FÊNIX - Renascendo das Cinzas

A notícia de que a família Ten Boom – que no início da Segunda Guerra Mundial era formada pelo pai e duas filhas solteiras – era confiável se espalhou rapidamente entre os judeus. As passagens secretas e compartimentos escondidos no sótão de sua casa de três andares se tornaram um santuário para os judeus perseguidos.

Em 1944, Corrie Ten Boom, sua irmã e seu pai foram presos pela Gestapo depois de serem traídos por um vizinho holandês que suspeitou de que eles eram simpatizantes dos judeus. Surpreendentemente, os judeus que estavam escondidos na casa no momento da prisão não foram localizados.

Corrie e a irmã Betsy foram aprisionadas em Ravensbruck, um conhecido campo de extermínio de mulheres, enquanto o pai definhou em uma cela de prisão até morrer, meses depois. Em Ravensbruck, Corrie e Betsy encorajavam as mulheres a confiar em Deus; à noite, elas se reuniam para ler a Bíblia e orar em voz alta a fim de inspirar fé nas outras prisioneiras. Betsy morreu no dia de Natal, e Corrie foi libertada logo depois em razão de um "erro burocrático". As mulheres de seu grupo foram exterminadas uma semana depois de sua libertação.

Chamando a si mesma de "uma velha cinquentona", Corrie dedicou os 33 anos seguintes de sua vida para falar sobre a felicidade de Deus em tempos de dor e de miséria. Ela visitou 64 países dando seu testemunho e condenando as injustiças e o antissemitismo que causaram o Holocausto. Seu livro *Andarilha para o Senhor* e sua autobiografia, transformada no filme: *O refúgio secreto,* deram-lhe notoriedade internacional.

Um dos momentos mais difíceis em sua vida foi retornar a Ravensbruck em 1947. Ela viajou à Alemanha para compartilhar o evangelho com o povo alemão, dizendo que o amor e o perdão de Deus se estendem a todas as pessoas, mesmo àquelas que participaram ativamente do extermínio dos judeus.

Em uma manhã de domingo, Corrie estava pregando em Munique e reconheceu imediatamente o homem que vinha para cumprimentá-la na frente do auditório. Como poderia esquecer aquele homem que mandava as mulheres para o chuveiro e, enquanto lhes dirigia olhares lascivos, zombava delas. Também tinha sido monstruoso com sua irmã, Betsy, cooperando para sua morte.

Agora, parado diante dela, sem a reconhecer, claro, disse: "Fraulein, é maravilhoso que Jesus perdoe todos os nossos pecados, exatamente como você falou. Você mencionou Ravensbruck. Eu fui guarda lá, mas me converti a Cristo depois disso. Sei que Deus já me perdoou, mas gostaria de ouvir isso de você também. Fraulein, você me perdoa?"

Corrie ficou ali em pé, paralisada pela palavra perdão. Em sua mente aquele homem era um monstro. Algo dentro dela dizia que não podia perdoar. Ele lhe causava vergonha e tristeza todos os dias; era o instigador de um pesadelo longo e inimaginável.

Betsy, sua preciosa irmã, morreu nas mãos dele. Começou a sentir um remorso profundo por sua fé e por si mesma. Como poderia pregar com tanto fervor sobre algo, que bem ali, naquele momento, não conseguia praticar? Só conseguiu pensar em uma coisa. Olhou para o céu e orou silenciosamente: "Perdoe-me Pai, por minha incapacidade de perdoar".

Imediatamente as coisas começaram a mudar. Mais tarde, ela ponderou: "Ele não deve ter ficado parado mais que alguns segundos diante de mim, com a mão estendida. Para mim, porém, pareceram várias horas, enquanto me debatia com a coisa mais difícil que eu já tinha feito". Então, ela começou a sentir a sublime sensação do perdão de Deus. Não conseguiu explicar depois como aquilo ocorrera, mas ela sentiu sua mão se mover na direção do guarda, apertou-a firme e disse: "Você está perdoado". O homem foi libertado; mais do que isso, naquele dia Corrie Ten Boom foi libertada, renasceu para a vida. Sentiu o peso do ressentimento cair de seus ombros.

A vida fica mais fácil quando nos livramos do ressentimento. Este mundo fica muito mais brilhante, mais colorido, repleto de alegria, quando não estamos cegos pelos ressentimentos banais. É uma lição que o nosso mundo nunca aprende. O ressentimento provoca separação de famílias, violência na sociedade, guerras constantes entre nações. Ele crava os dentes na alma de inúmeras pessoas que convivem conosco. Desse modo, vidas que poderiam ter sido produtivas são consumidas pelo ódio autodestrutivo. O ressentimento nos impede de renascer para a vida.

Perdoe e renasça!

"O perdão é como a violeta que exala sua mais pura fragância para perfumar o salto da bota de quem a esmagou."

Autor não identificado

A Decisão de Jamais Desanimar

"O homem de sucesso é aquele que é capaz de construir um alicerce firme com os tijolos que as outras pessoas atiram nele."

DAVID BRINKLEY

Vaclav Havel foi um dos ex-presidentes da antiga Checoslováquia, hoje conhecida como República Checa. Havel nasceu em 05 de outubro de 1936, em Praga, filho de uma família abastada, dona de estúdios de cinema. Com a chegada do regime comunista, em 1948, ao país, sua família teve todos seus bens confiscados. A partir de então, Havel tornou-se membro de um movimento rebelde que se opunha ao governo.

Motorista de táxi, Havel teve de estudar em escola noturna, o que, no entanto, não lhe impediu de seguir sua maior paixão: o teatro.

Dramaturgo famoso desde 1963, Vaclav Havel foi banido dos teatros de seu país. Perseguido, encarcerado, ele sempre se recusou a emigrar. Preferiu

FÊNIX - Renascendo das Cinzas

ficar e lutar por uma nação livre e soberana. Havel permaneceu para formar uma coligação que reuniria forças e estaria pronta para atacar quando chegasse o momento certo. Ele falava de maneira corajosa, escrevendo desafiadoramente contra o comunismo. Foi posto sob vigilância e, por fim, preso por causa de suas atividades.

Em 1970, alguns senadores dos Estados Unidos da América se encontraram com Havel na Checoslováquia. Disseram o que eles pensavam ser boas novas para ele. Informaram-lhe que pretendiam pressionar o governo para permitir que os dissidentes como ele emigrassem para o Ocidente.

Havel respondeu dizendo que não estava interessado em ir para o Ocidente.

— Que bem há nisso? Perguntou ele.

— Se ficarmos aqui e lutarmos, só assim poderemos ter alguma esperança de que as coisas mudem.

Como um guarda noturno, Havel permanecia à disposição de seu país.

Tempos de provações e lutas se parecem muito com noites longas e escuras. Mas fazer a coisa certa, mesmo sendo difícil, pode nos trazer esperança.

Como venceremos estas longas vigílias da noite, quando parece haver pouca probabilidade de mudança em nossas circunstâncias? Não conheço nenhum segredo mágico, amuleto ou pensamento milagroso capaz de curar tudo, com garantia de resultar em renascimento para o sucesso imediato. Sinto muito, não tenho essa oferta. O renascer, ou ressurgir, não ocorre se tomarmos uma pílula, ou pela repetição de algum "abracadabra", ou por aprendizado e aplicação de alguma fórmula de efeito rápido. A qualidade de vida que eu tenho em mente é definitivamente possível; não é utópica, com acesso fácil e suave pelos portões do País da Fantasia. Há uma necessidade premente de determinação, que eu defino como "decisão de não desanimar, a despeito de tudo".

Mas, não me interprete mal. Tenho em mente a determinação de fazer o que é reto. Entendo que algumas pessoas de índole duvidosa poderiam facilmente assumir este preceito e entregar-se a uma vida de crimes ou outra forma irresponsável de vida. Quando, porém, o objetivo é bom e o motivo justo, nada existe mais valioso para conduzir ao sucesso genuíno do que a persistência e a determinação. Se alguém quiser tornar realidade seu sonho há de possuir estas disciplinas.

O fator conducente à grandeza é a determinação, a persistência na direção certa em uma longa caminhada, perseguindo o sonho, persistindo no trabalho. Assim como não existe fracasso instantâneo, tampouco existe sucesso automático ou instantâneo.

Entretanto, o sucesso é o resultado direto de um processo longo, árduo e muitas vezes não apreciado pelos outros, incluindo, também, a prontidão para o autossacrifício. Contudo, vale a pena persistir no trabalho. Neste nosso mundo de tudo-instantâneo, estes pensamentos não são populares. É por isso que enfatizei a frase "jamais desanimar" no título deste texto. Se realmente desejamos renascer, ressurgir, alcançar o voo altaneiro e sublime da bela fênix, devemos persistir continuamente – devemos continuar buscando.

No dia 30 de janeiro de 2003, Vaclav Havel, emocionado, fez seu pronunciamento de despedida no Teatro Nacional de Praga. Um ícone na luta contra o regime soviético estava se recolhendo à intimidade da família para passar os dias que lhe restavam de vida, fazendo o que mais gostava de fazer: escrever.

Vaclav Havel se despedia do poder depois de 13 anos na presidência da República Checa.

"Só a visão não é suficiente; ela precisa ser combinada à aventura. E não basta olhar para cima das escadarias; precisamos subir todos os degraus."

VACLAV HAVEL

A Beleza nos Anos de Por de Sol

"A idade de uma pessoa pode ser determinada pelo nível de dor que ela experimenta quando entra em contato com uma nova ideia."

QUINCY JONES

Você não odeia quando alguém o faz lembrar a velhice?

O barbeiro: "João, está ficando um pouco ralo aqui em cima".

A cabeleireira: "Da próxima vez, Maria, vamos fazer alguma coisa com essas raízes brancas".

O convite: "Você está sendo convidado para participar da 30ª reunião dos formandos da faculdade".

Seus filhos: "Pai, fale de novo quem era mesmo os Rolling Stones?".

Seu médico: "Não precisa se preocupar, Antônio. Sua condição é comum para as pessoas de meia-idade".

A alvorada da velhice. As primeiras páginas dos capítulos finais. Uma mancha dourada aparece nas folhas verdes de sua vida e você é colocado face a face (que, por sinal, está enrugada) com o fato de que está ficando velho.

Até então a vida era uma estrada aberta e a morte estava a um milênio de distância.

Mas, então, elas chegaram: as sutis mensagens da mortalidade.

Você compra sua primeira apólice de seguros e inclui despesas com funeral e sepultamento.

No primeiro momento, são apenas pequenas gotas espirrando em suas convicções de aquarela de uma juventude perpétua. Com o tempo, porém, as gotas caem de modo constante e cada vez mais forte.

Tudo dói quando se levanta de manhã. Aquilo que não dói, não funciona.

Os vincos que aparecem no seu rosto, quando você ri, não desaparecem quando para de achar graça.

E então – CABUM! A chuva se transforma em temporal. Os ruídos suaves se transformam em trovões. Filhos na faculdade. Quarenta e seis velas no bolo de aniversário. Óculos bifocais. BUM. BUM! CABUUUMMM!!

Não há como negar. Ponce de Leon não encontrou a fonte da juventude e você também não vai encontrá-la. Ah, mas como procuramos!

A papada cresce. O cabelo preto se torna cinza, fica preto de novo ou, então, loiro. O rosto se alonga. O queixo pende para baixo, os seios precisam de uma levantada.

Certamente, parte do problema é o espelho (ou pelo menos o reflexo que vemos nele). O que antes estava firme, agora está caído. As coisas que antes se movimentavam, agora só balançam. Dizem que o tempo é o melhor remédio, mas ele é um péssimo esteticista.

O poema "How old are you?" (Quantos anos você tem?), reforça a ideia de que a aparência exterior não é o que determina nossa idade:

Idade é uma qualidade da mente:

Se você tiver deixado seus sonhos para trás;

Se a esperança tiver esfriado;

Se você não olhar mais adiante;

Se as chamas da sua ambição estiverem vacilantes;

Então você está ultrapassado.

Mas se da vida você mantiver o humor;

E o amor também for guardado;

Não importa que os anos passem;

Não importa quantos aniversários voem;

Você nunca estará ultrapassado.

A vida é feita de coisas simples e maravilhosas. Persiga-as. Lute por elas. Faça de tudo para consegui-las. Não dê ouvidos às reclamações daqueles que se contentam em ter uma vida de segunda categoria e querem que você faça o mesmo para que eles não se sintam culpados. Seu objetivo não é viver muito; é viver.

De um lado existe a voz da segurança – ela adverte – isto não é para sua idade. Você pode sentar-se em sua poltrona, permanecer dentro de casa e ficar seguro. Não vai se machucar se nunca sair, certo? Não pode ser criticado por aquilo que não tenta fazer, certo? Não pode voltar atrás se não tomou uma posição, certo? Portanto, não tente fazer nada. Escolha o caminho da segurança.

Ou então, você pode ouvir a voz da aventura – a aventura de Deus. Em vez de ir para a poltrona, siga seu coração. Adote uma criança. Mude para outro país. Vá dar aulas. Mude de carreira. Candidate-se a um cargo político. Faça diferença.

Certamente isso não é seguro, mas o que é?

Gosto muito das palavras do general Douglas Mac Arthur quando estava com 78 anos: "Ninguém fica velho simplesmente por viver um determinado número de anos. As pessoas envelhecem ao desistirem de seus ideais. Os anos podem enrugar a pele, mas desistir de nossos objetivos enruga a nossa alma".

Winston Churchill, o famoso estadista britânico, tinha todo o direito de descansar depois da Segunda Grande Guerra Mundial, mas ele não o fez. Em vez disso, pegou uma caneta e ganhou o Prêmio Nobel de Literatura aos 79 anos de idade.

Alguns ficam velhos e vão pescar. Outros vão caçar – caçar aquilo que sempre quiseram fazer. E fazem.

Um amigo do falecido jurista norte-americano Oliver Wendell Holmes perguntou-lhe porque ele começou a estudar grego aos 94 anos. Holmes respondeu: "Bem, meu caro, é agora ou nunca!".

O tempo voa. Os dias passam. Os anos se vão. E a vida termina. Aquilo que temos de fazer, deve ser feito enquanto há tempo.

Em cada página do livro da vida, registre uma aventura, um feito, um renascer, um ressurgir, mas tenha em mente que em qualquer livro sempre há uma última página, em que cada um de nós tem de escrever suas palavras, uma ou duas, que sejam,... e depois cessar. Então escreva algo de grandioso, mesmo que tenha tempo apenas para uma linha.

Que ela seja sublime.

"A vida encerra, de fato, muitos infortúnios, mas a mente que contempla cada objeto em seu aspecto mais agradável, e cada dispensação duvidosa como cheia de um bem latente, tem dentro de si um antídoto poderoso e perpétuo."

LYDIA H. SIGOURNEY

Zés-ninguém

"Então, certa manhã, comum acordou com estas palavras em sua mente: Aquilo de que sente falta você já possui...

Seria possível? Então olhou por todo canto. E então descobriu que em uma pequena esquina de seu coração havia um Grande Sonho, que lhe dizia que ele, um Zé-Ninguém, tinha sido feito por Alguém e estava destinado a realizar Grandes Coisas."

BRUCE WILKINSON

Pergunto-me se você ainda se sente um Zé-Ninguém fichado e permanente – inexpressivo e despercebido em sua vida. Se esse é o caso, quero que saiba que Deus ama Zés-Ninguém de modo especial!

Não importa se o que você está sentindo acerca de si mesmo hoje é verdadeiro ou não, você foi criado para ser Alguém Especial, alguém com um Grande Sonho pulsando forte em seu coração. E o mundo está aguardando que você inicie sua jornada. Aceite a si mesmo!

Se, entretanto, falta-lhe um profundo senso de autoestima e dignidade, você constantemente terá problemas com outras pessoas. Será indelicado, crítico, ou fará "fofocas". Vai se exceder até destruir os aspectos mais importantes de sua vida – e tudo vai desmoronar ao seu redor.

Pense nisso. O que nos impede de tratar as pessoas com dignidade? O ressentimento, o ciúme ou a sensação de que alguém representa uma ameaça para você. Se não consegue lidar com o ressentimento, o ciúme ou a "vitimitis", é porque, bem lá no fundo, da mente, do coração e da alma, você precisa lidar com a falta de uma autoimagem positiva.

Suas reações negativas são resultado de feridas escondidas que precisam ser curadas.

Todos nós as temos, não é? Podemos disfarçá-las atrás de um sorriso ou mantendo a guarda alta, mas, se realmente esquadrinharmos nossas vidas, nos mostraremos, descobriremos que cada um de nós tem uma dor secreta, uma agonia pessoal, um sofrimento particular – uma ferida insulada, não revelada nem exposta.

A sociedade inflige feridas ocultas em nós. Alguns de vocês têm sido vítimas de preconceito racial ou étnico, ou de alguma outra forma de discriminação dolorosa, como de sexo ou de idade.

Você já vivenciou o constrangimento de ser vítima de chacota, de ser ignorado, de não ter permissão de realizar sua vocação tão sonhada por ser de determinada raça, sexo ou idade.

Muitas vezes, as pessoas mais próximas de nós são as que provocam as feridas mais profundas e dolorosas. Alguns de vocês começariam a chorar agora mesmo se eu tocasse nas recordações sensíveis, em virtude do que o pai, a mãe, o cônjuge, o filho, o namorado, o patrão ou o amigo lhe fizeram.

Outras feridas ocultas são infligidas por nós mesmos. Reagimos de maneira muito negativa às circunstâncias e ferimos a nós mesmos porque as levamos muito a sério. Exageramos na leitura que fazemos das atitudes das pessoas e na rejeição que demonstram em relação a nós.

As feridas ocultas que você carrega consigo hoje – aquelas mágoas particulares que nem são mencionadas – com que instrumentos são inculcadas em seu coração?

As armas que o ferem podem ser tão banais quanto um beijo; são as palavras, os olhares, a linguagem corporal. Alguém que lhe vira as costas, não retribui seu gesto de amor e amizade, e isso dói. Você foi recebido com silêncio, talvez com descortesia. Você foi esquecido. Não foi convidado. Foi humilhado. Palavras, olhares, atitudes – são estas terríveis armas que provocam feridas ocultas nos corações humanos, nos transformando em Zés-Ninguém.

A pergunta é a seguinte: O que nós fazemos com essas feridas? Como lidamos com elas?

Em primeiro lugar, não as alimente. Há muitas pessoas que gostam de alimentar suas feridas ocultas. Ainda se lembram de como foram traídas pela mãe, de como foram tratadas pelo pai, pelo primeiro marido ou pela primeira esposa. Trinta anos depois elas continuam obcecadas pela ferida. Esta é uma reação neurótica, negativa.

Não as amaldiçoe. Não deixe que suas feridas façam de você uma pessoa amarga. Não permita que a ira contra Deus ou contra a pessoa que o magoou tão profundamente controle sua vida. Não amaldiçoe suas mágoas e não as enumere. Procure esquecê-las. Lembre-se de que você não poderá esquecer suas mágoas se ficar sobre elas o tempo todo.

Caso sua ferida seja algo que não possa compartilhar com os demais sem criticar alguém ou arrasá-lo de vez, então o remédio é sofrer em silêncio. Se for este o caso, confie em Deus. Deixe-o curar suas feridas ocultas.

Concentre-se naquela pequena esquina de seu coração, lá onde você escondeu seu Grande Sonho, que agora está ocultado por um mar de ressentimentos e mágoas. O único meio de ser alguém, renascido, ressurgido, renovado, é voltar-se para o seu ideal, o seu sonho.

Você tem um Grande Sonho também. O Criador colocou em você uma forte paixão para fazer algo especial. Por que a colocaria? Você foi criado à Sua imagem e semelhança – a única pessoa exatamente como você no universo. Ninguém mais pode realizar seu sonho.

A jornada em direção ao seu Grande Sonho muda você.

Na verdade, o próprio caminho é que prepara você para ser bem-sucedido naquilo que nasceu para fazer.

FÊNIX - Renascendo das Cinzas

E até que decida perseguir seu Sonho, você nunca irá amar sua vida da maneira que foi criado para amá-la.

Ainda assim, milhares de pessoas nunca dão esse primeiro passo.

Não perca mais nenhum dia. Hoje mesmo diga a alguém que você confia: "Eu tenho um Grande Sonho". E então, da melhor maneira que puder, descreva esse sonho para essa pessoa. Na primeira vez que descrevê-lo em voz alta, ouvirá seu coração dizer: Você nasceu para isso!

"A última das liberdades humanas é mudar de atitude em um dado conjunto de circunstâncias."

VICTOR FRANKL

Ventos Fortes, Raízes Profundas

"As raízes crescem profundamente quando os ventos são fortes. Atravessar alguma coisa é sempre — sempre — mais doloroso do que caminhar por fora. Mas no fim, ah, que honestidade confiante, que segurança tranquila, que resultado de caráter profundo!"

CHARLES SWINDOLL

Muitas pessoas veem as chuvas da primavera como uma grande sorte para os agricultores, principalmente se elas chegam depois que a plantação brotou e já cresceu alguns centímetros.

O que essas pessoas não sabem é que mesmo uma breve seca pode ter efeito devastador em uma safra de brotos que recebeu muita chuva.

Por quê? Porque durante as chuvas frequentes, os brotos de plantação não precisam lançar raízes profundas no solo em busca de água. Se mais tarde ocorrer uma seca, as plantas com raízes curtas logo vão morrer.

FÊNIX - Renascendo das Cinzas

Mais aqui cabe um lembrete. Por favor, não tente dar um jeito no sofrimento de todas as pessoas. Para alguns, esta é uma ordem difícil de obedecer, porque somos inclinados a tentar dar um jeito em tudo. Gostamos de tornar as coisas mais fáceis para os outros, principalmente para aqueles que amamos, como nossos filhos. Queremos protegê-los e resguardá-los e, se possível, poupá-los da dor. Se existir uma maneira de sofrermos no lugar deles, nós o faremos, com alegria. Mas, se tentarmos fazer isso, eles aprenderão cada vez menos.

Não devemos poupá-los das lições que a vida oferece. Deixe que aconteça. Deixe rolar. Com certeza, precisamos apoiá-los e permanecer ao lado deles, mas não tentar resolver os problemas deles. Como o título deste texto diz: As raízes se aprofundam quando os ventos são fortes. Ou, como Ted Engstrom escreveu:

Pense em um homem inválido, e você tem um Sir Walter Scott.

Tranque-o em uma cela de prisão, e você terá um John Bunyan.

Enterre-o na neve de Valley Forge, e você tem um George Washington.

Eduque-o em uma situação miserável, e você tem um Abraham Lincoln.

Sujeite-o a amargos preconceitos religiosos, e você terá um Disraeli.

Derrube-o com paralisia infantil e ele se torna Franklin Delano Roosevelt.

Queime-o de tal maneira em um incêndio no prédio da escola, de modo que os médicos digam que ele nunca andará novamente, e você tem um Glenn Cunningham, que quebrou o recorde mundial em 1934 por correr mil e quinhentos metros em quatro minutos e 6,7 segundos.

Ensurdeça um gênio compositor, e você tem um Ludwig Van Beethoven.

Pense em alguém, homem ou mulher, nascido negro em uma sociedade cheia de discriminação racial, e você tem um Booker T. Washington, um Harriet Tubman, uma Marian Anderson, um George Washington, Carver ou um Martin Luther King Jr.

Faça de uma pessoa a primeira criança a sobreviver em uma pobre família italiana de dezoito filhos, e você tem um Enrico Caruso.

Faça alguém nascer de pais que sobreviveram a um campo de concentração nazista, paralise-o da cintura para baixo quando ele tiver quatro anos e você tem o incomparável concertista Itzhak Perlman.

Chame-o de alguém com dificuldade de aprendizado, "retardado" e rotule-o como incapaz, e você tem um Albert Einstein.

Eu ainda acrescentaria a essa lista pessoas como Corrie Ten Boom e Dietrich

Bonhoeffer; ambos aprenderam duras lições nas salas de aulas de campos de concentração nazistas.

Todas essas situações se incluem na categoria das lições duramente ensinadas nas salas de aula da dor.

É por essa razão que Joni Eareckson Tada pode sentar-se em uma cadeira de rodas e segurar suas mãos, mãos que ela quase não pode mover. Em consequência de um acidente de mergulho em 1967, essa encantadora mulher está presa a uma cadeira de rodas para o resto de sua vida... sem amargura!

Em um dia de julho de 1967, Joni Eareckson mergulhou nas águas escuras da baía Chesapeake e em menos de um segundo sentiu sua cabeça se chocar contra algo duro, e seu corpo se debateu fora de controle. Sua vida estava mudada para sempre. Miraculosamente resgatada das águas, foi levada rapidamente a um hospital e, depois de uma cirurgia, acordou e descobriu que estava presa a um aparelho especial, com o pescoço quebrado – uma fratura diagonal entre a quarta e a quinta vértebra da coluna cervical. Estava tetraplégica.

Joni permaneceu três meses e meio no hospital e depois foi liberada para o que considerava uma vida desconhecida. Não conhecia ninguém nas mesmas condições, soube que não poderia continuar os estudos e sentia muita dor física.

Sua primeira reação foi pedir a um amigo que lhe desse *overdose* de comprimidos para acabar com seu sofrimento. Sua segunda reação foi viver – e a vida prevaleceu.

Durante a reabilitação, Joni começou a pintar peças de cerâmica segurando os pincéis com os dentes.

Joni também se tornou forte o bastante para se sentar em uma cadeira de rodas. Pouco mais de um ano após o acidente, ela começou a assistir a algumas aulas na universidade. Fez um curso sobre como falar em público e concentrou suas palestras em coisas que conhecia: como se relacionar com pessoas com deficiência física, como aceitar a vida em uma cadeira de rodas.

Ao longo dos anos, Joni experimentou diferentes técnicas de arte. Costumava presentear os parentes e amigos com suas obras de arte. Então, no início da década de 70, um amigo empresário organizou uma exibição do seu trabalho, e assim começou seu sucesso comercial como artista. Vieram a lume um filme e um livro que narravam a sua história, e ela era convidada para dar entrevistas em programas de rádio e televisão.

Joni fez uma lista das coisas que eram seus "desejos do coração": "Sinto que é tempo de viver por mim. Engajar-me num novo sonho. Tenho de ajudar outros – pessoas incapacitadas com sonhos próprios". Com base nesses sonhos, Joni fundou a Joni & Amigos, que tem a finalidade de reunir pessoas com deficiência física em todo o mundo.

Joni já escreveu 18 livros, incluindo livros infantis e obras que tratam das questões mais diversas, como eutanásia e religião.

Ela escreveu: "Eu não sei o que vem adiante. Mas sei quem sou. Eu tenho um sonho e sei para onde estou indo".

Devemos aprender a respeitar as lições duramente ensinadas porque descobriremos que é na bigorna da dor e da enfermidade, do sofrimento e da injustiça que se forja o caráter.

Somente os que têm raízes profundas são capazes de suportar os tempos difíceis sem ressequir e murchar.

"Obstáculos não podem me destruir.
Todos os obstáculos se rendem
à firme determinação."

LEONARDO DA VINCE

Entre a Bigorna e o Martelo da Adversidade

Um espírito forte suplanta todos os obstáculos que encontra no caminho e os utiliza como degraus na escalada do seu destino.

DANIEL C. LUZ

Michelangelo Buonarroti (1475-1564), mergulhou na arte do Renascimento italiano. Suportou ser espancado quando, aos treze anos de idade, deixou a escola para ser aprendiz de pintor e, em seus últimos anos de vida, suportou dor física, privações e o desfavor dos papas governantes.

Michelangelo foi tirado da mãe no momento do nascimento e mandado para uma ama de leite perto de Carrara, região das melhores jazidas de mármore da Itália. Foi devolvido aos cuidados da mãe ao completar dois anos, mas ela ainda jovem morreu quando ele tinha seis anos. Poucos cuidados e atenção ele recebeu a partir daí. Seus biógrafos sugerem que essa profunda perda foi a razão da figura da mãe prevalecer em sua obra, e que isso

FÊNIX - Renascendo das Cinzas

também explica o fato de, em suas representações de Jesus e Maria, esta, a mãe, não olhar diretamente para o filho e ter um ar distante.

Michelangelo disse: "Nasci nas boas montanhas de Arezzo e mamei ouvindo o barulho dos cinzéis e martelos dos cortadores de mármore". É também possível que, com seu modo de expressar a forma masculina perfeita, ele estivesse procurando criar seu próprio eu masculino perfeito, uma pessoa que o negligente pai finalmente aprovaria.

Logo após a morte de sua mãe, seus irmãos mais velhos e o pai, percebendo que ele era diferente deles, maltratavam-no fisicamente e xingavam-no. Artista inato, ele desenhava figuras na parede de sua casa e da escola, pouco se interessando em outra coisa. Finalmente, depois de repetidos fracassos em tudo que tentava fazer, Michelangelo encontrou emprego nos Jardins do Médici, em Florença, Itália. Sua função era preparar blocos de mármore para outros escultores neles trabalharem.

Certo dia, o rapaz fez uma escultura de sua própria imaginação, aproveitando um pedaço de mármore que sobrou. Quando Lourenço de Médici, o banqueiro mais rico da Europa, seu patrão, viu a escultura, imediatamente reconheceu o notável talento de Michelangelo e convidou-o a residir em seu luxuoso palácio, onde lhe foram dados os mesmos privilégios dos filhos de Lourenço.

Quando este faleceu, em 1492, Michelangelo estava pronto a fazer suas próprias criações.

Foi em Roma que Michelangelo produziu sua primeira grande obra de escultura: A morte de Cristo nos braços de Maria.

À medida que se tornava famoso, Michelangelo foi convocado pelo então Papa Julio II para projetar um grande túmulo, destinado a ser o mausoléu do Sumo Pontífice. Michelangelo apresentou um projeto que compreendia trinta e oito estátuas de profetas e santos, reunidas em torno do túmulo. O Papa ficou muito satisfeito e ordenou a Michelangelo que o executasse.

A intriga com o Vaticano começou, então, a se manifestar. Outros artistas e escultores, entre eles Rafael e seu companheiro, Bramante, que estava incumbido da construção da nova Igreja de São Pedro, então em obras, ficaram tomados de grande inveja diante do favoritismo do Papa por Michelangelo.

Eles convenceram Julio de que não lhe ficava bem fazer construir seu túmulo, enquanto ainda vivia. Por que não mandar Michelangelo pintar o teto da capela particular do Papa? Conhecida como Sistina.

Michelangelo protestou dizendo que era escultor, e não pintor. O fato, porém, é que ele preferia esculpir e sabia que pintar um teto, a vários metros de altura, seria um processo que levaria anos e exigiria o desenvolvimento de novas técnicas de pintura. No entanto, o Papa Julio estava convencido, e Michelangelo deu início a quatro anos de trabalho isolado e estafante, que resultaria em sua obra mais famosa.

Nenhum pintor da história da humanidade jamais enfrentara tarefa mais formidável. Se Michelangelo não tivesse sido treinado pela experiência da vida a persistir sob qualquer espécie de penosa adversidade, ele teria desistido antes de começar.

No início, Michelangelo contratou outros pintores bem conhecidos para auxiliá-lo; depois de ver os primeiros esforços, porém, demitiu todos eles, apagou o que já tinham feito e se trancou na capela para fazer o trabalho sozinho.

Grande parte da experiência foi de miséria para ele. O Papa Julio, alternadamente, criticava seu trabalho e esquecia de pagá-lo. Ele se debatia com sua saúde precária, com corrosões e infiltrações na capela; suas roupas transformaram-se em farrapos sobre seu corpo. Além disso, enfrentava o constante desafio de pintar figuras em perspectiva em uma superfície curva e abobadada. Ele escreveu que com frequência sentia como se estivesse perdendo seu tempo, "sem nenhum resultado". Muitas vezes, repintava figuras que considerava completas. Um amigo lhe perguntou por que se sacrificava tanto para pintar figuras que só seriam vistas à distância: "Quem saberá se estão perfeitas ou não?" Ele perguntou. Michelangelo respondeu: "Eu saberei".

Michelangelo perseverou até que, no final, completou o maior e mais famoso afresco do mundo. Certa vez ele escreveu: "Eu me esforço mais do que qualquer outro homem que já viveu... e com grande exaustão; mesmo assim, tenho paciência para chegar ao objetivo desejado".

Quando foram completados, os afrescos da capela cobriram 1.767,84 m² e tinham mais de 300 figuras. Os teólogos elogiaram os temas da obra. Os críticos de arte enalteceram sua beleza e a complexidade das figuras. Através dos séculos, milhões de visitantes contemplam com assombro aquilo que ele retratou.

É bom refletir um instante sobre o que um homem construiu. Será que se tivesse tido uma infância suave e tranquila Michelangelo teria adquirido essa resistência à dor, ao desconforto físico e à fadiga, a insuperável firmeza ante todos os obstáculos, a vontade verdadeiramente indomável para levar a termo uma tarefa?

Você deve ter compreendido, agora, que o caráter e a habilidade são forjados entre a bigorna e o martelo da adversidade.

Talvez você não tenha sido capaz de compreender por que tem tido de suportar tanta coisa. Até agora, você talvez ache que o que tem passado não lhe terá nenhuma utilidade. Tudo foi tempo e trabalho perdidos, que jamais serão recuperados!

Nem você poderá recuperar, em muitos casos, o que lhe foi tomado.

Mas certamente compreenderá que hoje está diante de novas situações e desafios. Não se pode voltar à situação anterior – e começar de lá. Você pode, entretanto, recorrer ao aprendizado de todas as experiências passadas, que vai ajudá-lo a enfrentar e resolver problemas atuais.

Jamais se esqueça de que toda força, coragem, perseverança ou compreensão de que precise, agora você já as tem, porque desenvolveu no passado. Portanto, use-as agora!

"Não lamente o passado. Ele não volta. Melhore sabiamente o presente ele é teu."

HENRY WADSWORTH LONGFELLOW

O Encontro – Quando uma Fênix encontra outra

"Daqui em diante, haverá um vínculo tão intenso entre nós que, quando um chorar, o outro sentirá gosto de sal."

AUTOR NÃO IDENTIFICADO

"Os dois personagens mais interessantes do século XIX são Napoleão e Helen Keller."

Esta era a opinião de Mark Twain sobre Helen Keller quando ela contava com apenas 15 anos. Ele argumentava que Napoleão falhou em conquistar o mundo como desejou, mas Helen conquistou o seu mundo. Ela trocou os títulos de "cega, surda e muda" que recebeu na infância pelos títulos de erudita, filósofa, escritora, atriz de cinema, viajante, palestrante e ganhadora de muitos prêmios e concursos.

Nascida como uma criança normal em todos os aspectos, aos nove meses Helen teve uma febre que a deixou entre a vida e a morte. Os exames médicos revelaram uma "congestão aguda no estômago e no cérebro". Quando a febre baixou, a enfermidade melhorou, mas ela perdeu a capacida-

FÊNIX - Renascendo das Cinzas

de de enxergar, ouvir e falar. Os especialistas declararam que ela "estava condenada à vida eterna de escuridão e silêncio".

Helen, porém, recusou-se a sufocar sua curiosidade sobre o mundo e o desejo de se comunicar. Suas tentativas de comunicação levaram-na a virar o berço onde sua irmã ainda bebê dormia e logo depois a colocar fogo em seu avental na lareira da casa. Alarmados por esses comportamentos, seus pais buscaram ajuda, inclusive os bons conselhos de Alexander Graham Bell. Um ano depois, a procura terminou quando a senhorita Sullivan se tornou professora e amiga de Helen. Mas quem era a Srta. Sullivan e onde começa sua história?

Há alguns anos estava presa em um quarto escuro de uma instituição de saúde mental nos arredores de Boston uma jovem conhecida como "a pequena Anne". Esta instituição era uma das mais avançadas e reconhecidas no tratamento de enfermidades mentais. Não obstante, os médicos acreditavam que o quarto escuro era o único lugar para os que estavam loucos "sem cura".

No caso da pequena Anne, não havia esperança. Assim, a condenaram a uma morte em vida em um pequeno cubículo que recebia pouca luz e menos ainda a esperança.

Nessa época, uma antiga enfermeira da instituição, que se preparava para a aposentadoria, acreditava que todas as criaturas de Deus eram merecedoras de amor e dignas de esperança; assim, começou a visitar o pequeno cubículo escuro onde vivia a menina. Sentia que ao menos podia transmitir certo amor e esperança à pequena Anne.

Em muitas ocasiões, a pequena Anne agia como um animal, atacando com violência as pessoas que entravam em seu minúsculo território. Em outras ocasiões, as ignorava por completo. Quando a enfermeira começou a visitá-la, a pequena Anne não deu mostra de ter notado sua presença.

Um dia a enfermeira deixou no quarto alguns biscoitos. A pequena inicialmente não demonstrou interesse, entretanto, no dia seguinte quando a enfermeira voltou eles haviam desaparecido. Daí em diante, a enfermeira levava biscoitos sempre que a visitava.

Pouco depois, os médicos da clínica observaram que ocorria uma mudança. Depois de certo tempo decidiram levar a pequena Anne a outra ala da clínica. Finalmente, chegou o dia em que este caso "sem cura" recebeu alta. Mas a pequena Anne não desejava sair. O lugar significava tanto para ela que sentia que poderia ficar, não como paciente, mas para trabalhar com outros pacientes.

Aquela enfermeira havia feito tanta diferença em sua vida, que a pequena Anne sentia que poderia fazer o mesmo por outras vidas que ali estavam.

Anne Mansfield Sullivan tornou-se professora e foi contratada pelos pais de Helen Keller. Anne a ensinou a fazer associações entre objetos e letras que eram colocados em suas mãos. Dentro de alguns meses, o notável progresso de Helen atraiu o interesse de educadores de todo o país.

Não estando disposta a limitar sua comunicação a ler e escrever em Braille e "letras em alto-relevo", Helen começou a tomar lições de fonética e finalmente aprendeu a falar, não somente inglês, mas também francês e alemão. Ela completou com sucesso os cursos de latim, grego e história romana e foi aprovada com mérito em inglês e alemão. Em 1900, entrou na faculdade Radcliffe.

Durante sua vida, Helen deu palestras em todos os Estados americanos, falando principalmente sobre as necessidades dos cegos e levantando fundos para ajudar o Comitê Nacional para a Prevenção da Cegueira. Ela também escreveu vários livros e ensaios e fez um filme sobre sua vida.

Muitos anos depois, a Rainha Victoria da Inglaterra outorgou a mais alta distinção de seu país a uma estrangeira e perguntou à condecorada Helen Keller: "Como explica suas notáveis conquistas na vida? Como explica que mesmo sendo cega e surda, pôde conquistar tanto?" Sem hesitar, Helen Keller disse que se não fosse por Anne Sullivan, a pequena Anne, certamente o nome Helen Keller seria desconhecido.

A vida e a contribuição de Helen Keller são fonte infindável de inspiração e admiração. Dezenas de milhões de pessoas foram influenciadas por ela direta ou indiretamente. Mas o fundamental na vida de Helen foi sua professora, Anne Sullivan.

Em resumo, é uma bela história de duas pessoas magníficas que encontraram a própria voz e dedicaram suas vidas a inspirar outras pessoas a encontrar as suas próprias vozes – "infundindo vida" inúmeras vezes em todo o mundo.

Como Anne renasceu e fez renascer Helen e juntas milhares de pessoas, agora é chegada a sua hora. Você obtém o melhor dos outros quando dá o melhor de si.

> "As pessoas que acreditam na nossa capacidade fazem mais do que apenas nos incentivar. Elas criam para nós uma atmosfera que favorece o nosso sucesso."

JOHN H. SPALDING

Resistência, o Inimigo Interno

"Devemos procurar maneiras de ser uma força ativa na nossa vida. Devemos assumir o comando de nosso destino, projetar uma vida sólida e verdadeiramente começar a viver os nossos sonhos."

LES BROWN

A maioria de nós possui duas vidas. A vida que vivemos e a vida "não vivida" que existe dentro de nós. Entre as duas, encontra-se a Resistência.

Você já levou para casa uma esteira ergométrica e a deixou acumulando poeira em algum canto da casa? Já abandonou uma dieta, um curso de inglês? Já se esquivou de um chamado para envolver-se em uma prática espiritual, para dedicar-se a uma vocação humanitária, para dedicar-se a um trabalho voluntário? Já quis ser mãe, médico, advogado dos fracos e excluídos? Já quis concorrer a um cargo público, fazer parte de uma organização não governamental para salvar o planeta, fazer campanha pela paz mundial ou pela preservação do meio ambiente? Tarde da noite, já experimentou uma vi-

FÊNIX - Renascendo das Cinzas

são da pessoa que você poderia se tornar, da obra que conseguiria realizar, do que você deveria ter realizado? Você é um escritor que não escreve, um pintor que não pinta, um empresário que nunca se aventurou em um empreendimento de risco? Então você sabe o que é Resistência.

A Resistência é a força mais tóxica do planeta. É fonte de infelicidade mais que a pobreza, a doença e a disfunção erétil. Ceder à Resistência deforma nosso espírito. Atrofia-nos e nos torna menores do que nascemos para ser. Se você acredita em Deus (e eu acredito), deve considerar a Resistência um mal, pois nos impede de alcançar a vida que Deus planejou para nós ao dotar cada ser humano de seu próprio e único gênio criativo. A palavra gênio vem do latim *genius*. Os romanos usavam-na para designar um espírito interior, sagrado e inviolável, que nos protege, guiando-nos para nossa vocação. Um escritor escreve com seu gênio; um artista pinta com o seu; todo aquele que cria o faz a partir deste centro sagrado. É a morada de nossa alma, o receptáculo que abriga nosso ser potencial, é o nosso farol, nossa estrela polar.

Todo sol lança uma sombra e a sombra do gênio é a Resistência. Por mais forte que seja o chamado de nossa alma para a realização, igualmente potentes são as forças da Resistência reunidas contra ele. A Resistência é mais rápida que o projétil de uma arma, mais poderosa que uma locomotiva, mais difícil de renegar que a droga que gera dependência. Não estaremos sozinhos se formos dizimados pela Resistência; milhões de mulheres e homens bons foram derrubados antes de nós. E o pior é que não ficamos sabendo o que nos atingiu.

Você provavelmente já ouviu uma história parecida: uma mulher fica sabendo que tem câncer e apenas seis meses de vida. Em poucos dias, pede demissão do trabalho, retoma seu sonho de compor canções que abandonou para cuidar da família (ou começa a estudar grego clássico ou muda-se para a cidade e dedica-se a cuidar de bebês com Aids). Os amigos da mulher acham que ela enlouqueceu; ela mesma nunca se sentiu tão feliz. Há um pós-escrito: o câncer da mulher começa a regredir.

É necessário tudo isso? É preciso encarar a morte para nos levantarmos e confrontarmos a Resistência? É preciso que a Resistência aleije e desfigure nossas vidas para despertarmos para a sua existência?

Quantos se tornaram bêbados e viciados, desenvolveram tumores e neuroses, sucumbiram a analgésicos, mexericos e uso compulsivo do telefone celular, simplesmente por não fazer aquilo que seus corações, os gênios interiores, os impelem a fazer? A Resistência nos derrota. Se amanhã de manhã, por algum passe de mágica, toda alma atordoada e ignorante acordasse com o poder de seus sonhos, não haveria tantos psicoterapeutas, nem prisões com superlotação. As indústrias de bebidas alcoólicas e de cigarros não seriam as empresas mais ricas do planeta, assim como os negócios de comida de má qualidade, de cirurgia cosmética e programas de entretenimentos com atrações bizarras na TV, sem mencionar indústrias farmacêuticas com seus paliativos para os hipocondríacos. Os maus-tratos domésticos se extinguiriam, assim como o vício, a obesidade, enxaquecas, fúria no trânsito e, pasmem, até caspa!

Hitler queria ser artista. Aos 18 anos, pegou sua herança, setecentos kronen, e mudou-se para Viena para viver e estudar. Inscreveu-se na Academia de Belas-Artes e posteriormente na Faculdade de Arquitetura. Você já viu algum quadro dele? Eu também não. A Resistência o derrotou. Pode achar que é exagero, mas vou dizer mesmo assim: foi mais fácil para Hitler deflagrar a 2ª Guerra Mundial do que encarar uma tela em branco.

Olhe no fundo do seu coração. A menos que eu seja louco, neste mesmo instante uma vozinha fraca está sussurrando, dizendo-lhe, como já fez milhares de vezes, qual é a vocação que é sua e apenas sua. Você sabe. Ninguém tem de lhe dizer. E a menos que eu seja louco, você não está mais perto de tomar uma atitude em relação a ela do que estava ontem ou estará amanhã. Acha que a Resistência não é real?

O objetivo da Resistência não é ferir ou aleijar. Sua intenção é matar. Seu alvo é o epicentro de nosso ser: nosso gênio criativo, nossa alma, nosso dom único e inestimável com que fomos trazidos ao mundo para dar e que ninguém mais possui. A Resistência joga para valer. Ao combatê-la, travamos uma guerra com a Morte.

A Resistência não tem força própria. Cada gota de sua seiva vem de nós. Nós lhe damos força com nosso medo. Domine esse medo e vencerá a Resistência. Você renascerá para uma nova vida.

"Nossa perspectiva limitada, nossas esperanças e temores se tornam o padrão de medida da nossa vida, e, quando as circunstâncias não se encaixam nas nossas ideias, elas se tornam as nossas dificuldades."

BENJAMIN FRANKLIN

Uma Breve História de um Herói de Grande Alma

"Agora sei isto. Todo homem dá sua vida pelo que acredita.

Toda mulher dá sua vida pelo que acredita.

Às vezes, as pessoas acreditam em pouca coisa ou em nada e então dão sua vida por pouco ou nada..."

JOANA D'ARC

Quando a rainha Vitória se tornou imperatriz da Índia, em 1877, Mohandas Karamchand, um menino exageradamente tímido e magro, tinha apenas oito anos. Era uma criança como as outras, que tropeçava nos problemas de matemática, rodava pião e jogava críquete. Ainda que às vezes roubasse dinheiro dos criados de sua família para comprar cigarros, a ideia de mentir sempre lhe causara desgosto. Decidiu então que diria apenas a verdade.

Embora a família de Mohandas não fosse das mais ricas, seu pai ainda assim tentava projetar uma imagem de prosperidade, mantendo três casas e usando joias de ouro, como símbolo de *status*. Mohandas, de acordo com as expectativas, devia seguir os passos do pai. Portanto, tão logo completou 19 anos, viajou para Londres, para estudar Direito. Na tentativa de agradar aos pais, esforçou-se muito para adaptar-se à cultura local. Tremendo com o frio britânico, encheu seu guarda-roupa de trajes londrinos e lutava todas as manhãs para manter os cabelos sob controle. Tinha aulas de francês, de dicção, de violino, de dança. Tentou até mesmo comer carne, embora isso ferisse suas crenças hindus. Era um homem aprisionado entre duas culturas conflitantes e tentava agradar a ambas.

O primeiro emprego de Mohandas após a formatura foi em uma firma de advocacia indiana sediada na África do Sul. Revoltado ao ver que o tratamento dado aos indianos que lá moravam era pior do que o atribuído aos animais, Mohandas dedicou-se a lutar por seus direitos sociais e políticos.

Em uma ocasião, mesmo tendo pago por uma passagem de primeira classe no trem que ia de Durban para Pretória, ele foi duramente humilhado e obrigado a sair de sua cabine. Nem na classe econômica ele era bem-vindo, com o cobrador afrontando-o e agredindo-o fisicamente quando ele se recusou a passar para um assento inferior. Em vez de simplesmente voltar ao seu país, ele escolheu lutar pelo bem-estar dos indianos na África do Sul.

Seu objetivo inicial – progredir como advogado – logo foi substituído pela vontade de fazer justiça. Em maio de 1894, ele fundou o Congresso Indiano de Natal (província ao leste da África do Sul) e deu início à luta pela melhoria das condições de saneamento, educação e moradia para seu povo. Durante vinte anos, ele financiou seu ativismo na África do Sul através da advocacia.

A experiência de Mohandas nos tribunais levou-o a abordar cada uma de suas causas como um lutador agressivo, atitude que lhe causava extremo mal-estar. Certo dia decidiu conduzir o processo aberto por um operário com serenidade e moderada negociação, e uma profunda sensação de paz tomou conta dele.

Encontrou, nessa nova filosofia de protesto não violento, uma forma de ser fiel a si mesmo. Esse breve instante de *insight* evoluiu e tornou-se uma visão que, no futuro, ajudou Mohandas Karamchand Gandhi – mais tarde conhecido apenas como Mahatma Gandhi – a libertar seu país da tirania do governo inglês.

Em 15 de agosto de 1947, a Índia deixou de ser colônia inglesa, como resultado da campanha revolucionária de não-violência de Mahatma Gandhi.

Gandhi foi o responsável por um momento decisivo no processo revolucionário da história humana através de uma política firme de não-violência.

Em 1946, com a aproximação da independência, a harmonia entre hinduístas e muçulmanos, pela qual tanto lutara por toda a vida, desvaneceu-se e a violência irrompeu. Gandhi trabalhou incessantemente pela paz, caminhando entre o povo nas áreas afligidas e pregando o evangelho da não-violência, do perdão e do arrependimento. Quando a Índia alcançou a independência, Gandhi não participou da celebração. Em vez disso, prosseguiu os esforços para acabar com as violências nas cidades e aldeias de Bengala e Bihar.

Gandhi foi para Nova Délhi, a capital, no final de 1947 e, em 13 de janeiro de 1948, iniciou um jejum pela harmonia comunal. O jejum terminou em 18 de janeiro, quando as matanças e a violência declinaram.

Os apelos de Gandhi pela harmonia desagradaram a certos elementos hinduístas radicais e, em 30 de janeiro de 1948, a caminho da reunião para a prece matutina, Gandhi foi baleado à queima-roupa. Morreu como vivera: a serviço de seu povo e com o nome de Deus nos lábios.

Seus compatriotas, para expressar sua admiração e agradecimento, o chamam de Mahatma que quer dizer "Grande Alma", um título apropriado para Mohandas Karamchand Gandhi.

O mundo é diferente por sua causa. A Índia, a segunda maior nação do mundo, com mais de um bilhão de habitantes, é uma democracia independente por causa dele.

"Devemos nos tornar a mudança que queremos para o mundo."

GANDHI

O Passado está Mantendo sua Vida Refém?

"Uma das razões pelas quais Deus criou o tempo foi a de prover um lugar onde pudéssemos enterrar as falhas do passado."

JAMES LONG

A capacidade de deixar os eventos passados para trás e seguir adiante deixa a pessoa em uma posição de encarar os desafios atuais com entusiasmo e um mínimo de peso em sua bagagem pessoal.

Por outro lado, aquele que é incapaz de superar as feridas e os fracassos anteriores é mantido refém do passado. O peso que carrega dificulta sua caminhada. De fato, ao longo da minha vida, ainda não encontrei alguém que fosse bem-sucedido e ao mesmo tempo continuasse lutando com suas dificuldades do passado. O passado deve ser sepultado.

Outro dia, li uma engraçada anedota que me fez refletir sobre este tema.

A história era sobre Antenor, o periquito.

FÊNIX - Renascendo das Cinzas

Antenor, nem viu direito o que tinha acontecido. Em um dado momento, ele estava tranquilo, empoleirado em sua gaiola. No outro, foi sugado, lavado e esquentado com um secador de cabelos.

Os problemas começaram quando Salete, a dona de Antenor, decidiu limpar a gaiola com um aspirador de pó. Ela removeu o acessório da extremidade da mangueira e a prendeu na gaiola. O telefone tocou e ela se virou para atender. Mal tinha acabado de dizer "Alô" quando, de repente, "vupt" – Antenor tinha sido sugado.

A dona do pássaro engasgou, deixou o telefone de lado, desligou o aspirador e abriu o saco. Lá estava Antenor; ainda vivo, mas atordoado.

O pássaro estava coberto de poeira e fuligem. Sua dona o levou para o banheiro, abriu a torneira e o segurou debaixo da água corrente. Então, percebendo que Antenor estava ensopado e tremendo, fez o que qualquer dona de passarinho cheia de compaixão teria feito... pegou o secador de cabelos e secou o animal de estimação com ar quente.

Coitado do Antenor! Nunca soube o que o havia nocauteado. Alguns dias depois do trauma, o repórter que havia escrito sobre o evento entrou em contato com a dona de Antenor para ver como o pássaro estava se recuperando: "Bem, – ela respondeu – Antenor não canta tanto como antes, apenas senta e olha".

Não é difícil descobrir o porquê. Ser sugado, lavado e esquentado é o bastante para roubar a canção de qualquer coração corajoso.

Você consegue se identificar com Antenor? A maioria de nós, sim. Uma hora você está sentado em território familiar com uma canção nos lábios e, de repente, a multa de trânsito chega, a carta de rejeição vem, o médico liga, o cheque volta, você é demitido...

Vupt! Você foi sugado para dentro de uma escura caverna de dúvidas, golpeado com a água fria da realidade e afligido com o ar quente das promessas vazias.

A vida que tinha sido tão calma virou, agora, uma tormenta. Você é atacado por exigências, assaltado por dúvidas, apunhalado por perguntas. Em algum momento do trauma, você perdeu a alegria; em algum lugar da tormenta, você perdeu a canção.

As pessoas que não são capazes de vencer o passado são mais ou menos como Antenor. Elas permitem que suas experiências negativas determinem as cores de seu caminho nos dias atuais.

Pode parecer que eu esteja fazendo pouco caso de algo que aconteceu a você no passado. Não estou. Sei que as pessoas sofrem tragédias reais neste nosso mundo imperfeito. Elas perdem filhos, cônjuges, pais e amigos – às vezes em circunstâncias horríveis. As pessoas contraem câncer, esclerose múltipla, Aids, e outras doenças degenerativas. Sofrem inenarráveis abusos nas mãos de outros. Todas estas coisas são verdadeiras, mas tragédias não precisam impedir a pessoa de ter uma perspectiva positiva, ser produtiva e viver uma vida plena.

Enterre seu sofrimento egoísta. O sofrimento que o impede de ser feliz, o impede de pensar positivamente e de ajudar outras pessoas.

Some suas alegrias e não conte jamais as suas tristezas. Olhe para o que você deixou para trás em sua vida; não olhe para o que perdeu. Em momentos de sofrimento você fica tão engolfado e absorvido pelo choque, pela dor e pela tristeza que perde de vista as alegrias que ainda estão vivas sob o manto do sofrimento. Decida-se a descobrir suas alegrias submersas para que respirem e floresçam novamente!

Há muitas coisas pelas quais você deve ser grato, mesmo que não sinta gratidão Comece por recordar. Reviva suas lembranças felizes. Rememore a grande coleção de experiências alegres que viveu no passado. Com certeza já lhe aconteceram coisas maravilhosas.

Um poema de autor não conhecido tem sido um bom conselheiro para mim:

Conte o jardim pelas flores,

E nunca pelas folhas que caíram.

Conte seus dias pelas horas ensolaradas,

Nunca pelas nuvens.

Conte suas noites pelas estrelas,

Nunca pelas sombras.

Conte sua vida pelos sorrisos,

Nunca pelas lágrimas.

E, com a alegria de cada aniversário,

Conte a idade pelos amigos, não pelo passar dos anos.

FÊNIX - Renascendo das Cinzas

Uma vez sepultadas as tristezas, você está pronto para transformar a adversidade em um sócio prestativo. Se você permitir, o sofrimento se torna um ditado cruel e pode fazer de você um recluso ou bêbado cínico, incrédulo, ressentido, cheio de autocomiseração. Ou ele pode ser seu escravo, ajudando-o a renascer, transformando-o em uma pessoa melhor.

"Nem sempre é conveniente virar a página, às vezes é preciso rasgá-la."

ACHILLE CHAVÉE

Recomeçar... Todo Final é um Novo Começo

"Não podemos voltar atrás e fazer um novo começo, mas podemos recomeçar e fazer um novo fim."

AYRTON SENNA

A natureza demonstra que quase tudo ocorre em ciclos. A terra gira em um círculo diário. A lua gira ao redor da terra em um ciclo mensal, e a terra gira ao redor do sol em um ciclo anual. Durante o ano as quatro estações fazem um percurso do frio ao calor, e novamente ao frio, como as plantas e animais passam do estado dormente para ativo e, ao se aproximar outro inverno, novamente dormente. Na natureza, todos os começos têm um fim, e todos os fins prenunciam um novo começo. Todos os dias, as marés se enchem e esvaziam. Quando o dia termina, começa a noite, seguida por um novo dia. Seguido novamente pela noite. Quando termina o inverno, começa a primavera. E assim por diante. Todos os finais são seguidos por um recomeço.

Nossas vidas também estão sujeitas a ciclos e estações. Todos nós experimentamos um fluxo interminável de começos e fins. Todas as estações de nossas vidas têm começos e fins, que levam a novos começos. Quando termina a infância, começa a adolescência, quando a idade adulta termina, começa a meia-idade, terminando a meia-idade, começa a velhice.

Como gostamos dos começos, temos costume de celebrar o novo. Geralmente resistimos aos finais e tentamos adiá-los. Muitas vezes, deixamos de sentir a alegria dos começos porque sabemos que todos eles escondem as sementes de algum fim. Talvez alguns finais possam ser dolorosos, mas essas dores diminuem se não resistirmos e considerarmos o tempo como um processo natural: como brotos que surgem na primavera e se desenvolvem em folhas verdes, no verão amadurecendo e tornando-se douradas no outono e desfolhando no inverno. Compreender que somos parte integrante do grande projeto do Criador é um grande consolo.

Muito de nossa resistência aos finais é proveniente de nosso desconhecimento sobre novos começos e de nossa incapacidade de acreditar na possibilidade do novo começo. Quanto mais nos permitirmos confiar no fato de que todos os finais trazem um novo ciclo, mais diminuirá a nossa resistência ao novo.

Imagine ser uma lagarta, sentindo um estranho desejo de tecer um casulo ao redor do corpo – morte certa! Como deve ser difícil desistir da única vida que se conhece, essa vida de rastejar na terra, em busca de alimento. No entanto, o final dessa vida de verme confinado à terra significará o começo de uma outra vida, sob a forma de uma linda criatura...

Ana era uma lagarta de olhos grandes.

Passou a vida rastejando ou serpeando na terra. Um dia, Ana teve uma ideia fantástica. Rastejou até um arbusto, subiu nele, dirigiu-se a um ramo e segregou um líquido translúcido nesse galho, que foi transformado em uma espécie de botão, virou-se e colocou a parte posterior de seu corpo nesse botão. Em seguida, assumiu a forma de um "j", enroscou-se, e passou a construir uma casa ao redor. Durante algum tempo a atividade foi febril, mas logo Ana estava completamente recoberta, e já não era possível vê-la.

Tudo ficou em silêncio, muito silêncio. Você poderia chegar à conclusão de que nada acontecia. Contudo, muita coisa estava acontecendo na verdade. Estava acontecendo uma metamorfose.

Um dia, Ana começou a levantar as persianas de sua casa, permitindo que aparecesse grande variedade de cores. Noutro dia, ocorreu uma erupção. A casa de Ana foi violentamente sacudida. O pequeno casulo moveu-se e sacudiu-se até que uma asa enorme, linda, projetou-se de uma das janelas. Ana a estendeu, exibindo toda sua glória. Ela prosseguiu seu trabalho até que outra asa emergiu de outra janela, no lado oposto da casa.

Finalmente, Ana livrou-se de sua casa, deslizou pelo galho, esticou-se e abriu suas lindas asas. Em nada se parecia com a antiga lagarta de antes.

Ana não mais rastejou de volta, descendo do galho, arrastando-se e serpenteando na direção da terra. Não! Ela partiu movida por uma força nova – o poder do voo.

O poderoso potencial das transformações se baseia na possibilidade, inerente a cada novo começo, de trazer alegria e liberdade em proporções nunca antes imaginadas. Se isso verdadeiramente acontece ou não – se continuamos ou não a evoluir através dos ciclos de nossas vidas – depende em grande parte de nós.

Podemos considerar todos os finais como tragédias – lamentando-os e resistindo a eles – ou podemos considerar cada um como um novo começo e uma abertura para maiores oportunidades. O que para a lagarta é a tragédia da morte, para a borboleta é o milagre do nascimento.

"Nunca é tarde demais para ser o que você deveria ter sido."

GEORGE ELIOT

Quando Você Estiver Preparado

"Você pode estar no caminho certo, mas se ficar sentado ali, vai ser atropelado."

WILL ROGERS

Ficar parado não ajuda muito. Como Will Rogers advertia: "se você esperar até estar preparado, vai esperar a vida toda".

O melhor jeito de aprender alguma coisa é começar a fazê-la. Você vencerá o desafio muito mais depressa e habilmente se se jogar na situação que tem à frente, em vez de ficar sentado pensando no que aconteceria se você resolvesse tentar. Você pode estar muito mais preparado para dar o passo seguinte do que imagina. Aproveite a oportunidade para se apresentar agora.

As águias que vivem nas montanhas nos dão uma lição interessante. Elas usam uma espécie de graveto para construir os seus ninhos. Uma águia, às vezes, voa cerca de trezentos quilômetros em um só dia para encontrar um galho de pau-ferro. Os gravetos não são somente duros conforme o nome sugere, mas também possuem espinhos que fazem com que os gravetos se encaixem com segurança firmando o ninho na saliência de um rochedo, no alto do penhasco. Depois de construir o ninho, a águia o forra com várias camadas de folhas, penas e grama, para proteger os filhotes dos espinhos do pau-ferro.

Em seus preparativos, a águia fêmea percorre longas distâncias para assegurar a sobrevivência dos filhotes. Este interesse pela sobrevivência da ninhada vai muito além do seu nascimento, apesar de a manifestação desse interesse sofrer mudanças.

Conforme as aguiazinhas vão crescendo, elas começam a lutar por espaço. Sua necessidade de alimento às vezes é tanta, que a mãe não pode dar o necessário. Instintivamente, ela sabe que, para sobreviver, seus filhotes terão de sair do ninho.

Para encorajar as jovens águias a sair, a mãe tira a forração do ninho para que os espinhos comecem a espetar os filhotes. Conforme as condições de vida vão ficando mais dolorosas, eles são forçados a subir na borda do ninho. Então a mãe os empurra para fora. Quando eles despencam no precipício, começam a bater as asas para segurar a queda, e acabam fazendo aquilo que é o mais natural para uma águia – elas voam!

Os seres humanos, muitas vezes, se encontram em situações semelhantes. Quando as nossas vidas não podem mais nos dar as condições de crescimento de que precisamos e é necessária uma mudança, talvez tenhamos de abandonar a segurança e a familiaridade. Mas, do mesmo modo que os filhotes de águia, ficamos relutantes em deixar o ninho e tendemos a resistir a mudanças. Mesmo que as condições não sejam prazerosas, tendemos a tolerar o aumento de desconforto porque temos medo do desconhecido.

Muitas vezes, as condições desagradáveis em nossa vida estão nos dizendo que estamos prontos para nos mover e experimentar novas áreas do nosso potencial. Embora o medo do desconhecido possa aumentar temporariamente a nossa tolerância a uma situação desconfortável, as circunstâncias vão se tornando tão espinhosas que, como as jovens águias, somos obrigados a nos mover.

A indecisão mata. O medo nos faz ir e vir incessantemente entre alternativas para nos impedir de reivindicar nosso bem. Não há como aprender sem fazer, e não há como fazer sem aprender. As maiores lições da vida são aprendidas por meio de tentativas e erros.

Thomas Edison experimentou duas mil lâmpadas elétricas antes de chegar à que deu certo. Mel Fisher, o explorador que descobriu o galeão espanhol naufragado nas Marquesas Keys (Flórida), localizado em 1985, com milhões de dólares em ouro e jóias, ficou procurando por ele durante dezesseis anos.

Durante esse tempo, enfrentou toda espécie de obstáculos, mas um dia encontrou o tesouro.

Se você é daqueles que tentou muitas vezes e "falhou", está em boa companhia. Na verdade, não existem fracassos reais, Pois o conhecimento adquirido a cada erro o leva mais perto do sucesso almejado. E então tudo vale a pena.

Quando chegar a hora de se aventurar a aceitar novos desafios, procure se lembrar de que todos têm a capacidade, não só de sobreviver, mas também de progredir. Estamos todos destinados a alcançar altos níveis de sucesso e desfrutar realização e satisfação na vida. Isso significa que não devemos aceitar menos do que somos capazes de obter.

Dentro de nós existem recursos que só podem ser percebidos quando subimos na borda do ninho, deslizamos no ar – e voamos!

"Um barco só está seguro num porto, mas os barcos não são construídos para isso."

JOHN A. SHAEDD

O Aço da Grandeza é Forjado no Fogo

"O sucesso não é medido pelo que o homem realiza e sim pela oposição que ele encontrou e pela coragem com que sustentou a luta contra desigualdades esmagadoras."

CHARLES LINDBERGH

Cada vez que iniciamos a leitura da biografia de um notável, precisamos nos preparar para surpresas. O interessante é que, quanto mais notável a vida, mais chocantes as surpresas. Você pode ter certeza de uma coisa: as circunstâncias e eventos que levaram essa pessoa à grandeza tiveram origem em anos obscuros, quando poucos a conheciam e ninguém se importava com sua existência.

Isso é certamente verdade com relação ao décimo sexto e provavelmente o maior presidente norte-americano, Abraham Lincoln. Quase todos imaginariam que o cargo de presidente dos Estados Unidos seria um clímax adequado para uma vida já cheia de prestígio. Afinal de contas, quem se torna presidente deve ter crescido em um ambiente re-

FÊNIX - Renascendo das Cinzas

quintado, emergindo naturalmente para brilhar sob os holofotes, antes de cair em seu colo, sem qualquer esforço de sua parte, o cargo de presidente. Nada disso.

Lincoln nasceu em 1809, em uma rústica casa de madeira, no lugarejo então conhecido como Condado de Hardin, no Estado de Kentucky. Seu pai era um trabalhador itinerante, iletrado, e sua mãe era uma mulher frágil e doente. Eles foram despejados de casa quando Abraham tinha apenas sete anos. Sua pobre mãe morreu quando ele tinha nove. Não teve virtualmente qualquer educação formal.

Sua primeira tentativa de uma carreira foi em 1831 e fracassou por completo. Um ano mais tarde, candidatou-se a ocupar o cargo de legislador do Estado, mas não teve sucesso. Nesse mesmo ano perdeu o emprego e tentou matricular-se na escola de Direito, mas não foi aceito em razão de suas desprezíveis qualificações. Pouco depois dessa situação humilhante, começou outro negócio com dinheiro tomado de empréstimo de um amigo íntimo. Antes de terminar o ano, porém, o negócio fracassou. Lincoln declarou falência e passou os 17 anos seguintes pagando o que devia.

Em 1835, apaixonou-se perdidamente por Ann Rutledge, mas teve o coração partido quando ela morreu pouco depois do noivado. No ano seguinte, teve um colapso nervoso e levou seis meses para recuperar-se.

Em 1838, candidatou-se a orador da Câmara Estadual e foi derrotado.

Em 1840, dois anos mais tarde, quis ser membro do colégio eleitoral do Estado, mas foi novamente derrotado.

Em 1846, candidatou-se outra vez para o Congresso e ganhou. Dois anos mais tarde, veio a ser fragorosamente derrotado quando quis concorrer à reeleição.

Em 1849, tentou conseguir o cargo de oficial do registro imobiliário em seu Estado, mas não foi aceito.

Em 1854, candidatou-se ao Senado dos Estados Unidos. Perdeu novamente.

Em 1856, tentou ser nomeado vice-presidente da convenção nacional do seu partido. Obteve menos de cem votos, sofrendo nova derrota embaraçosa.

Em 1858, perdeu novamente uma vaga no Senado. Finalmente, em 1860, Abraham Lincoln foi eleito presidente dos Estados Unidos e, logo depois, começou a guerra mais devastadora que o país já teve de enfrentar. Sua perseverança recompensou-o com sucesso político sem precedentes, e foi reeleito para um segundo mandato. Infelizmente, apenas cinco dias depois de o general Lee se render, a 14 de abril de 1865, Lincoln foi assassinado. Ele morreu antes de fazer sessenta anos.

Sem conhecer nenhum desses detalhes, refletimos sobre uma presidência como a de Lincoln e nossa tendência é pensar: Puxa, ele deve ter tido uma formação majestosa.

O AÇO DA GRANDEZA É FORJADO NO FOGO

Examinamos depois mais cuidadosamente a escura caverna do seu passado e compreendemos que era repleta de fracassos e tragédias, tristeza e sofrimento. Ficamos surpresos e até chocados.

O aço da grandeza é forjado no fogo. Isso se aplica a todos nós.

Nunca se esqueça disso, especialmente quando você estiver em meio ao fogo e convencido de que nada de valor sairá dessa experiência.

Não importa se é viúvo, tem setenta anos e vive com salário de aposentadoria. Não importa se tem filhos na faculdade e milhares de dívidas no cartão de crédito. Não importa se você é um profissional, ou um executivo desempregado com compulsão por trabalho, ou um corretor da Bolsa de Valores estafado, ou ainda uma dona de casa e mãe angustiada.

Você está passando pelo fogo!

Uma vida nova, com conteúdo e significado, não pode ser construída em um só dia. Alguma dor e um pouco de medo são provavelmente boas coisas. Se o seu "passar" pelo fogo for indolor e sem medo algum, você não estará se lançando na nova vida que de fato deseja. Então aguente firme.

Os desafios da vida podem enriquecer-nos e deixar-nos mais fortes. Os problemas talvez sejam apenas o meio de nos mostrar um caminho alternativo a seguir, um jeito diferente de viver. Podem ser uma oportunidade de começar de novo.

Sem levar em conta os desafios que enfrenta, lembre-se sempre de que você foi idealizado e projetado por Deus para vencer!

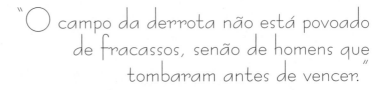

"O campo da derrota não está povoado de fracassos, senão de homens que tombaram antes de vencer."

ABRAHAM LINCOLN

O Jogo não Acabou!

"Dez por cento da vida é feito do que acontece com você, e os outros noventa por cento, de como você reage ao que lhe acontece."

DITADO POPULAR

Concordamos com uma coisa: todos nós enfrentamos, com frequência, obstáculos na vida. Todos nós experimentamos solavancos. Sofrer é inevitável, mas infelicidade é uma opção. Sofrer fará com que você mude, mas não necessariamente para melhor. Você precisa escolher mudar para melhor.

Você pode deixar que os obstáculos se tornem pedras de tropeço ou transformá-los em degraus. A vida pode torná-lo melhor ou mais amargo. A escolha é sua.

Lembre-se do ditado sobre o qual vale uma boa reflexão: "Dez por cento da vida é feito do que acontece com você, e os outros noventa por cento, de como você reage ao que lhe acontece."

Muitas vezes é difícil perceber a força que advém dos obstáculos, erros e fracassos – especialmente na hora – mas situações como essas podem tornar você mais forte, se souber aprender com elas.

FÊNIX - Renascendo das Cinzas

Aprender não significa ficar repetindo para si mesmo: "Eu nunca mais vou entrar em uma situação assim!" O que você deve se perguntar é o seguinte: "O que eu devo fazer de diferente da próxima vez?", "Quem eu chamaria para me ajudar?", "Que outra abordagem teria me ajudado a superar os obstáculos que eu enfrentei?"

Obstáculos, erros ou fracassos carregam consigo a oportunidade de fazer uma correção de curso que nos leva de volta ao caminho certo. Aqueles que têm aprendido bem essa lição, desenvolveram a resistência e uma atitude que diz: "Nunca vou desistir".

Você já viu o ator James Earl Jones no filme Campo dos Sonhos? Lembra-se da voz de Mufasa, o leão-pai de O Rei Leão, ou da voz de Darth Vader na série Guerra nas Estrelas? A voz desses personagens é de James Earl Jones. Ele ganhou três prêmios Emmy, dois Tony, um Globo de Ouro e um Grammy.

Mas nem sempre foi assim para James Earl Jones. O que pouca gente sabe é que, aos quatorze anos, James era um jovem desajeitado, acanhado e tão gago que evitava falar em sala de aula. Obviamente esse rapazinho, também muito inseguro, andava quase sempre sozinho.

Ainda bem pequeno, fora arrancado de sua cidade natal, em Mississipi, no sul dos Estados Unidos, e se mudara para um sítio nos arredores do povoado de Dublim, em Michigan. De certa maneira, foi uma mudança para melhor, no que dizia respeito à sua família. Contudo não deixou de ser difícil para James.

Havia ocasiões em que, em virtude da sua gagueira, somada ao seu acanhamento natural, ele se tornava praticamente mudo. Chegou a ponto de comunicar-se com colegas e professores escrevendo bilhetes. Certo dia, o professor de inglês, Donald E. Crouch, pediu que ele lesse em voz alta um poema que havia escrito. Dá para imaginar o pavor que o pequeno James sentiu quando se encaminhou para a frente da classe e se pôs a ler?

Para surpresa geral, as palavras foram saindo fluentemente. A gagueira desaparecera. Ele gostou de ler em voz alta e queria ler mais; então, praticou muitas vezes. Por causa de sua habilidade em ler ele ganhou vários concursos e, por fim, uma bolsa de estudos para o curso superior. Participou durante vários anos de peças fora da Broadway e se sustentava trabalhando como zelador. Mas ele nunca desistiu. Ele admite que as falhas e decepções que enfrentou no passado desempenharam papel fundamental na sua vida, fazendo com que se tornasse o que é hoje.

Erwin Lutzer afirmou que "as falhas que cometemos são a porta dos fundos do sucesso". Contudo, quem é como eu prefere entrar pela da frente. E algumas vezes dá pra entrar. Todavia, em outras ocasiões, temos a impressão de que a porta da frente está trancada. E então o que é pior, nossa sensação é de que há ali sentinela que não deixa ninguém passar. Quem sonha ter algum sucesso precisa dar a volta por trás.

A certa altura de nossa vida, cometemos um erro e nos vemos diante de algum tipo de fracasso. Então, como já afirmei, temos de tomar uma decisão. Dependendo da resolução que tomarmos, ou seguiremos pela vida atrás de nosso fracasso ou cresceremos e passaremos à frente dele. E "garimpar" o ouro que existe embutido em nossas experiências dolorosas é tirar delas toda a riqueza nelas contida.

Algumas pessoas são nocauteadas e, embora se levantem, você pode dizer que permaneceram caídas no interior, que é o que conta.

Levante seu espírito novamente! Volte sua visão para os seus sonhos e objetivos. O jogo ainda não terminou. Você pode fazer muito mais!

Edmund Hillary fez várias tentativas frustradas de escalar o monte Everest antes de obter sucesso. Depois de uma delas, ele parou na base da montanha gigantesca e ameaçou-a: "Vou desafiar você outra vez. Você pode ser grande... mas eu ainda estou crescendo".

Toda vez que Hillary subia, fracassava. E toda vez que fracassava, aprendia. E toda vez que aprendia, crescia e tentava de novo. Até que um dia não fracassou.

Você continuará a cometer erros, encontrando adversidades durante toda sua vida. Aprenda com seus fracassos. Não desista jamais.

"Montanhas não podem ser vencidas, exceto por caminhos sinuosos."

JOHANN GOETHE

Recomeçar é Questão de Atitude

"Qualquer desafio que enfrentamos não é tão importante quanto nossa atitude em frente dele, pois é ela que determina nosso sucesso ou derrota."

NORMAN VINCENT PEALE

As pessoas frequentemente me perguntam quem são meus heróis. Tenho vários, mas um ocupa lugar de destaque na minha galeria de heróis: Thomas Alva Edison, inventor da lâmpada elétrica, do projetor de imagens e das baterias que dão partida em nossos carros.

Sempre gostei de repetir um incidente verídico na vida de Thomas Edison, que ilustra perfeitamente os benefícios da atitude positiva. O filho de Edison, Charles, incluiu o evento em seu livro intitulado The Eletric Thomas Edison (Thomas Edison, o elétrico).

Em uma tarde de dezembro, o grito: "fogo" ecoou pela fábrica. Combustão espontânea ocorrera na sala de filmes.

Em instantes todo material de embalagem, celuloide para discos, filmes e outros bens inflamáveis desapareceram por completo...

Quando não consegui encontrar meu pai, fiquei preocupado. Estaria a salvo? Com todos os seus bens desaparecendo na fumaça, seu espírito teria desanimado? Ele tinha 67 anos, uma idade em que seria difícil recomeçar. Então eu o vi no pátio da fábrica, correndo em minha direção.

"Onde está sua mãe? Vá buscá-la! Diga que traga as amigas! Elas nunca verão um incêndio assim outra vez!".

Pode acreditar? Em vez de lamentar-se: "Oh, Deus, o que fiz para merecer isso? Vivi fielmente 67 anos e é esta minha recompensa?", ele diz "Filho, vá buscar sua mãe. Esta é uma visão incrível! Veja só esse incêndio!".

O filho de Edison continua:

Às 5h30 da manhã, mal o fogo começou a ser controlado, ele reuniu os empregados e anunciou: "Vamos reconstruir!".

Um dos homens deveria alugar todas as oficinas na área. Outro, conseguir um guindaste da Erie Railroad Company. Em seguida, quase como uma ideia secundária, ele acrescentou: "Olhem, por acaso alguém sabe onde podemos arranjar algum dinheiro?".

Mais tarde ele explicou: "É sempre possível conseguir capital depois de um desastre. Nós acabamos de nos livrar de um monte de lixo! Vamos construir um prédio maior e melhor sobre essas ruínas". Ao dizer isso, enrolou o casaco para servir de travesseiro, encolheu-se em uma mesa e adormeceu imediatamente.

Que grande exemplo para nós! No entanto, o que fez com que perseverasse apesar da dificuldade? Qual foi o combustível que o impulsionou a superar tamanha tragédia?

Tanto nos heróis famosos quanto nos desconhecidos, você encontrará algo em comum, um denominador comum. Trata-se da atitude! Isso mesmo: *atitude*.

Sua atitude é mais importante do que você pode imaginar. É a coisa mais importante em você – mais importante do que seu grau de escolaridade, seu passado, sua aparência ou seu dinheiro.

Sua atitude o ajudará a conquistar amigos ou fazer inimigos; atrairá ou repelirá as pessoas.

Sua atitude é até mais importante do que suas habilidades para determinar sua capacidade de obter sucesso.

O importante não é a condição financeira de sua família, tampouco seus problemas, quem é seu chefe ou quanto você ganha; o importante é a sua atitude para com a família, os problemas, a autoridade e o dinheiro.

A atitude faz toda a diferença do mundo.

Encontre duas pessoas que frequentem a mesma escola, tenham os mesmos professores, façam compras nas mesmas lojas, vivam na mesma cidade e frequentem a mesma igreja.

Uma sofre e a outra é bem-sucedida. Por quê?

Simplesmente atitude.

> "A atitude... alimenta meu fogo ou destrói minha esperança. Quando tenho a atitude certa nenhuma barreira é tão alta, nenhum abismo é tão profundo, nenhum sonho tão impossível e nenhum desafio grande demais para mim."
>
> CHARLES SWINDOLL

A Coragem do Dia a dia

"Se me pedissem que desse um único conselho que fosse mais útil para a humanidade, seria este: espere alguma dificuldade como uma parte inevitável da vida, e quando ela chegar fique com a cabeça erguida, olhe-a direto nos olhos e diga: eu vou ser maior do que você, você não pode me derrotar."

ANN LANDERS

A história costuma exaltar os indivíduos que chegaram ao topo ou que, de alguma forma, tornaram o mundo melhor. Seria um erro acreditar que nossos heróis calcularam cada movimento, encaixando deliberadamente cada peça do quebra-cabeça da vida.

Na realidade, muitos deles enfrentaram mudanças – inesperadas ou indesejadas – que exigiram muita coragem. Mesmo assim, eles não deixaram que as circunstâncias os impedissem de atingir seus objetivos.

Enfrentar algumas das mais duras realidades da vida requer coragem. Winston Churchill via na

FÊNIX - Renascendo das Cinzas

coragem um ponto de partida. Ele disse: "A coragem é a primeira entre as qualidades humanas, porque é a qualidade que garante todas as outras". Ele não estava falando apenas de coragem em termos épicos – aquela associada a personalidades famosas e grandes acontecimentos – mas da coragem do dia-a-dia. Mais do que qualquer outra coisa, coragem é uma decisão. É a decisão de ir fundo e em busca do nosso próprio caráter, de achar a fonte de nossa força quando a vida nos decepciona. É a decisão que temos de tomar se queremos nos tornar plenamente humanos.

Ludwing Van Beethoven é um dos nomes mais conhecidos da história da música. Nascido em 1770 em Bonn, na Alemanha, filho de um tenor e músico da corte, o jovem Beethoven não levava uma vida luxuosa. Aos oito anos, ele fez sua primeira apresentação em público como pianista. Apesar do talento prodigioso, Beethoven era maltratado pelo pai, dominador, rabugento e bêbado, que o forçava a tocar para divertimento de seus amigos. Quanto mais o velho Beethoven tentava conciliar o ciúme que sentia do talento do filho com o desejo de que ele fosse bem sucedido, mais ele se tornava violento.

Em 1787, Beethoven partiu rumo a Viena para estudar com os mestres. Ignorante quanto aos costumes da alta sociedade e descuidado com a própria aparência, ele não se entrosava com os sofisticados músicos vienenses. Mesmo assim, logo ganhou fama de pianista brilhante. Quando sua estrela começava a subir, a morte de sua mãe obrigou-o a voltar para Bonn, onde assumiu a responsabilidade de ajudar a família. Ao retornar a Viena alguns anos mais tarde, Beethoven buscou orientação com Haydn e outros compositores proeminentes da época, como Albrechtsberger e Salieri. Logo, ele estava criando sinfonias e executando suas próprias composições ao piano.

Quando tudo parecia dar certo, algo começou a dar muito errado: aos trinta e poucos anos, Beethoven começou a ter problemas de audição.

Um distúrbio inicialmente sutil foi piorando rapidamente até que, em poucos anos, ele ouvia apenas sons distorcidos e não conseguia distinguir qualquer som alto. A cruel ironia da situação – o músico que não podia mais ouvir a própria música – levou Beethoven ao desespero profundo. Embora não pudesse continuar a tocar, Beethoven não dobrou suas partituras e procurou isolar-se do mundo. Ele sabia que ainda podia compor e dedicou-se a compor sob uma perspectiva ainda mais complexa e apaixonada.

Esse fôlego renovado resultou na terceira sinfonia, a Heroica, que agitou o mundo da música. Paradoxalmente, à medida que sua audição se deteriorava, sua música florescia. Ele concluiu dois de seus maiores trabalhos – a Quinta e a Sexta Sinfonia – em 1808, e em 1823, compôs a Nona Sinfonia. Inspirado no grande poema de Schiller, Ode à Alegria, a Nona Sinfonia personificou os ideais do Iluminismo, desde a declaração de independência até a ciência emergente da era industrial. Escrita por um compositor quase completamente surdo, é considerada uma das maiores obras de arte já realizadas.

Se Beethoven tivesse se deixado subjugar pela perda auditiva, ele e o mundo teriam perdido um importante marco para o progresso humano. Por sorte, a natureza concedeu-lhe uma dádiva tão preciosa quanto seu gênio musical: a coragem de enfrentar mudanças devastadoras, recusando-se a deixar seu talento murchar por causa de um golpe do destino.

O teólogo Paul Tillich definiu este tipo de coragem como a verdadeira coragem, que consistia em dizer sim à vida apesar da dor e de todas as dificuldades que fazem parte da existência humana. Ele disse que era preciso demonstrar coragem diariamente para encontrar algo definitivamente positivo e significativo tanto a respeito da vida como de nós mesmos.

A vida é dura... e nem sempre é justa. Mas isso não quer dizer que ela não possa ser boa, gratificante e prazerosa. Ainda há muitas razões para dizer sim à vida.

"Você nunca realmente perde até parar de tentar."

MIKE DITKA

Sonhar Pode Fazer a Diferença

"A coisa mais importante deste mundo não é onde você está, mas para onde está indo."

OLIVER WENDELL HOLMES

A vida no século XIX não era fácil para o rapaz londrino. Enquanto seu pai definhava na cadeia por causa de dívidas, dores excruciantes de fome corroíam seu estômago. Para alimentar-se, o garoto aceitou um emprego colando rótulos em garrafas de graxa em um lúgubre armazém infestado de ratos. Dormia em um quarto desolador no sótão com dois outros rapazes, enquanto sonhava secretamente tornar-se escritor. Tendo estudado durante apenas quatro anos, possuía pouca segurança em suas habilidades. A fim de evitar os risos zombeteiros que esperava, escapou furtivamente no meio da noite para enviar seu primeiro manuscrito.

Uma história depois da outra era recusada até que, finalmente, uma foi aceita. Não o pagaram por ela, mas, ainda assim, um editor elogiou seu trabalho.

FÊNIX - Renascendo das Cinzas

Você pode ter ouvido falar nesse garoto, cujos livros causaram tantas mudanças no tratamento dado às crianças e aos pobres: seu nome era Charles Dickens. Ele sonhava ser escritor e tornou-se o romancista mais lido da Inglaterra vitoriana, apesar de ter nascido na pobreza.

Quando Dr. Martin Luther King Jr. fez seu famoso discurso "Eu tenho um sonho" para uma multidão concentrada no centro comercial em Washington, capital dos Estados Unidos, naquele dia quente de agosto de 1963, ele estava se dirigindo não apenas àquelas milhares de pessoas que se reuniram para ouvi-lo. Ele buscava despertar um desejo escondido em todas elas. O discurso de King falava daquilo que era fundamental para qualquer ser humano, o tema que une e eleva as pessoas nas ruas, os privilegiados e não privilegiados. Ele demonstrou com o corpo e a alma que sonhar pode fazer diferença.

Creio que cada um de nós tem um sonho lá dentro do coração. Não estou falando em ganhar na loteria. Este tipo de ideia vem de um desejo de fugir de nossa situação atual e não de perseguir um sonho íntimo. Estou falando daquela visão que temos lá no fundo de nossa mente e que mexe com nossas almas. É a coisa para a qual nascemos. É aquilo que seduz nossos talentos e dons, apela para nossos mais altos ideais e desperta nossos sentimentos sobre o destino.

O grande sábio Salomão devia ter isso em mente quando escreveu em Provérbios 13:19 - "O sonho satisfeito agrada a alma ...".

Quem pode medir o prazer dessa cena? O desejo do coração – escondido e profundo – acalenta os sonhos. Esses sonhos flutuam enquanto o tempo passa, recusando-se a afundar por causa das âncoras dos obstáculos e das dificuldades. Eles crescem através das possibilidades que são mantidas vivas pela esperança e determinação. Vagas possibilidades que geram oportunidades concretas, trazem à alma um gratificante estímulo e... no final tornam-se um verdadeiro sucesso, o ás na manga da satisfação.

O poeta Longfellow disse e eu concordo:

Não me diga, em pesarosos números,

Que a vida é nada além de um sonho vazio!

As vidas de grandes homens nos dizem,

Que podemos fazer nossas vidas serem sublimes.

E, partindo,

Deixar para trás,

Pegadas nas areias do tempo.

Você se tornou uma vítima da rotina? Começou a ter pensamentos desmoralizantes, como: "Para que serve isso?" e "Isso vale a pena?" A fechar a cara em vez de sorrir... concentrado nas dificuldades em vez da fita final da corrida? Lembre-se da famosa composição de Oscar Hammerstein:

Suba toda montanha, procure nos altos e nos baixos;

Siga todos os atalhos, todas as trilhas que você conhece.

Suba toda montanha, atravesse todo rio,

Siga todo arco-íris, até que encontre o seu sonho.

Por favor – ouça a quem, há alguns anos, quase parou de subir, procurar e seguir – continue! Subir e sonhar certamente é bem melhor que um estilo de vida sem janelas... e uma gaiola sem porta.

A história está cheia de homens e mulheres que se depararam com a adversidade e alcançaram sucesso apesar dela. O orador grego Demóstenes, por exemplo, era gago! Na primeira vez que discursou na tribuna romana saiu de lá ao som de gargalhadas. Mas ele tinha o sonho de ser um orador notável. Ele perseguiu este sonho e cultivou seu potencial. Diz-se que ele costumava colocar pedrinhas na boca para praticar na praia, falando ao som da arrebentação das ondas. Sua persistência valeu a pena. Ele realizou seu sonho: tornou-se o maior orador do mundo antigo.

Outros também ousaram e foram bem-sucedidos. Apesar de vir de família pobre, Napoleão tornou-se imperador. Beethoven trazia à vida sua visão interior da música quando compunha sinfonias, mesmo depois de ter perdido a audição.

Você pode correr atrás de seu sonho, não importando onde está hoje. O que aconteceu no passado não é tão importante quanto o que está para acontecer no futuro. Como diz um ditado: "Não importa qual tenha sido o passado de uma pessoa: seu futuro é imaculado".

Você pode começar a correr atrás de seu sonho ainda hoje!

"Sonhar é acordar-se para dentro."

MÁRIO QUINTANA

Determinação

"Ninguém pode construir em seu lugar as pontes que precisarás passar, para atravessar o rio da vida — ninguém exceto tu, só tu."

NIETZCHE

A diferença entre as pessoas comuns e as bem-sucedidas é que as pessoas que têm sucesso não ficam perdendo tempo discutindo suas limitações, elas as transcendem. Recebem sua cota justa de obstáculos e continuam em frente apesar disso. Às vezes ficam machucadas e até feridas emocionalmente, mas se levantam e recomeçam.

O poder de realizar os próprios sonhos. A força de tornar real o objetivo. Algumas pessoas parecem ser predestinadas a marcar sua passagem por este planeta. Não pense que elas são beneficiadas pelo destino, ou escolhidas por uma "conspiração astral". Elas apenas ousam realizar. Você também pode ser assim. Quantos sonhos você deixou de realizar por não se sentir capaz? Como pode saber se é ou não capaz, se não tentar?

FÊNIX - Renascendo das Cinzas

Gente bem-sucedida, não nasceu predestinada. Apenas ousou lutar por seus ideais.

O caminho de quem tem sucesso não é ou não foi fácil. Por vezes, os obstáculos foram tantos que a vontade de desistir foi maior, vencendo muitos que almejavam destaque. Mas, para muitos, a realização foi plena e eles marcaram sua existência.

Quando você achar que é difícil prosseguir, deve lembrar-se dessa história.

Em uma noite de outubro de 1968, um grupo de obstinados torcedores permaneceu no estádio Olímpico da Cidade do México para ver os últimos colocados da Maratona. Mais de uma hora antes, Mamo Wolde, da Etiópia, havia cruzado a linha de chegada debaixo de saudações exuberantes de todos os presentes. Mas, enquanto a multidão esperava pelos demais colocados, anoitecia e começava a esfriar.

Parecia que os últimos corredores já haviam chegado ao estádio; assim, os espectadores começaram a ir embora. Foi exatamente nesse momento que todos começaram a ouvir as sirenes dos carros que acompanhavam a prova e que chegavam aos portões do estádio. Todos pararam para observar e viram o último corredor entrar no estádio e fazer a volta final, completando os mais de quarenta quilômetros da prova. O corredor era John Stephen Akhwari, da Tanzânia. Quando ele estava passando pela pista de atletismo, os espectadores puderam ver que sua perna estava enfaixada e sangrando. Ele havia caído e se machucado durante a prova, mas isso não o impediu de continuar. As pessoas no estádio se levantaram e o aplaudiram até ele cruzar a linha de chegada.

O respeitado produtor de documentários, Bud Greenspan, observava à distância. Depois, intrigado, chegou-se a Akhwari e perguntou porque ele tinha feito tamanho esforço para chegar ao final da corrida.

O jovem da Tanzânia respondeu em voz baixa: "Meu país não me enviou a noventa mil milhas de distância para começar a corrida, eles me enviaram para terminá-la".

Não se abata com as dificuldades ou com o agouro de quem o desanima. Não escute aqueles que martelam ao seu ouvido que você não é capaz. Lute por seus sonhos determinadamente.

Determinação foi o que John F. Kennedy personificou em 1961, quando disse que colocaria um homem na Lua antes do final daquela década.

Determinação foi a força que levou Walt Disney a perseverar em construir seu sonho, apesar de ter de declarar falência por cinco vezes.

É de exemplos como esses que você pode tirar inspiração nos momentos em que acha que está prestes a desistir, abater-se ou abandonar seu sonho. Eu sei que preciso usar a determinação dos outros como inspiração quando sinto que o vértice da gravidade me puxa para baixo e as coisas parecem difíceis demais.

Lembro-me: outras pessoas já fizeram isso e eu também posso fazer. Só preciso de determinação para continuar em frente.

> "O que conta não é necessariamente o tamanho do cachorro na luta. É o tamanho da luta no cachorro."
>
> DWIGHT EISENHOWER

Morra Vazio!

"O homem começa a morrer na idade em que perde o entusiasmo."

HONORÉ DE BALZAC

Charles foi reprovado em todas as matérias, na oitava série. No segundo grau, foi reprovado em física com a nota mais baixa da história da escola. Também foi reprovado em latim, álgebra e inglês. O desempenho nos esportes foi insuficiente. Parecia que ninguém se importava com ele. Surpreendia-se quando alguém passava e dizia olá.

Ele, os professores e os colegas sabiam que era um fracassado, segundo todos os padrões convencionais. Resignou-se ao mais baixo nível de mediocridade, ou pior. Contudo, contrariando todas as expectativas, no fundo ele acreditava possuir uma centelha natural de genialidade ou talento para desenhar.

Orgulhava-se de seus esboços, mesmo sabendo que ninguém lhes dava importância.

FÊNIX - Renascendo das Cinzas

No segundo ano do ensino médio, enviou uma série de histórias em quadrinhos para o livro anual da escola. Foram rejeitadas.

Após o segundo grau, completou um curso por correspondência em arte – sua única formação na área. Depois, enviou uma carta ao Walt Disney Studios, na esperança de trabalhar como cartunista. Solicitaram os desenhos, e ele trabalhou horas antes de enviá-los à empresa. A resposta recebida dos estúdios: uma carta-padrão negativa.

Mas Charles sentia que possuía um talento peculiar e valioso, mesmo que só para si. Assim, reagiu à rejeição de Walt Disney, desenhando sua autobiografia em quadrinhos, um fracassado crônico, um garoto cuja pipa nunca subia, mas alguém que o mundo todo viria a conhecer: Charlie Brown. Charles, mais conhecido como Charles Schultz, ao longo dos anos ganhou cerca de US$ 55 milhões. Seus quadrinhos "Peanuts", lançados em 1948, tornaram-se uns dos mais famosos da história, chegando hoje a aparecer em 2.600 jornais, em 21 idiomas.

Cada um dos personagens dos Peanuts transformou-se em nomes familiares para cerca de 350 milhões de leitores, em 75 países.

Um vasto potencial humano é desprezado ou se perde porque não entendemos a verdade que Schultz percebeu: tinha um potencial único.

Mesmo quando ninguém valorizou ou até mesmo admirou seu talento, Schultz adquiriu coragem para desenvolvê-lo em qualidade marcante. Contra todas as expectativas, defendeu esse ponto forte e, no final, emocionou o mundo.

Pergunto-me: O que você traz em seu íntimo neste exato momento? Você tem ideias e sonhos, todos temos. Escondida em seu coração, presa firme aos primeiros obstáculos, está a classe que você devia liderar ou a pré-escola que anseia iniciar.

Trancado lá no íntimo está o livro que hesita em fazer, por temer que ele não seja lido.

Essa riqueza guardada em seu íntimo não pode ser herdada pelo cemitério. Você privará esta geração dos sonhos que você tem? Você destituirá esta geração e a próxima levando o tesouro que Deus lhe deu para o cemitério?

Morra vazio!

Antes de morrer, em fevereiro de 2000, Charles Schultz desenhou os mesmos quadrinhos Peanuts, que desenhara durante mais de 41 anos. Ele não enriqueceu o cemitério, privando as pessoas da alegria e do prazer de ler suas tiras.

São muitos que morrem ricos, com sonhos agarrados firmemente ao seu coração silenciado. São muitos os que descem à sepultura com seu potencial preso lá no íntimo. Se pudéssemos aproveitar o poder não usado de uma sepultura, poderíamos mudar o mundo! Mas é claro que não podemos, porque aproveitamos somente o potencial dos vivos.

Contamos que haja fôlego em nossos pulmões, o potencial não usado continua dentro de nós, esperando para ser liberado. A razão por que ainda estamos vivos é que trazemos algo dentro de nós de que esta geração precisa.

Meu lema é "morrer vazio". Não pretendo levar outra coisa ao cemitério que não seja a carcaça vazia de uma vida bem vivida. Gostaria que meu epitáfio fosse: "Vazio!". Nada restou. Sem graça.

> "É preciso viver como se pensa, do contrário se acabará por pensar como se tem vivido."
>
> PAUL BOURGET

Atravessando Tempos Difíceis

"A dor é inevitável, mas o sofrimento, opcional."

BÁRBARA JOHNSON

Tempos difíceis, tempos estressantes, não são tudo na vida, mas fazem parte dela, do crescimento e de andar para frente.

Por que as coisas más ou ruins acontecem com gente boa? Esta pergunta intrigou artistas, filósofos e pensadores religiosos através dos tempos. Quando acidentes, doenças, infortúnios financeiros ou outras tragédias pessoais acontecem com pessoas moralmente responsáveis, nosso sentido de justiça fica abalado, especialmente porque outros, com comportamentos menos honrosos, em geral vivem sem problemas, ao menos aparentemente. Parece justo que aqueles de vida exemplar devam ser recompensados com uma existência sem tragédias. Em vez disso, ouvimos repetidamente que alguns inocentes foram vitimados enquanto seus opressores continuam livres. Que defeito na ordem do universo pode permitir que o infortúnio atinja a existência de gente boa? É a pergunta que alguns fazem com amargura quando atravessam tempos difíceis.

FÊNIX - Renascendo das Cinzas

O que fazemos com tempos difíceis, ou excesso de tensão, é nossa escolha.

Podemos usar a energia dos tempos difíceis pra atravessar e superar nossos problemas. Podemos usá-la para sintonizar nossas capacidades e nossa espiritualidade. Ou podemos atravessar essas situações sofrendo, armazenando amarguras e recusando-nos a crescer ou a mudar.

Embora a amargura seja uma reação comum, ela é apenas superficial. Devemos ir além da amargura e entender que podemos aprender com os nossos "maus tempos". Com o passar do tempo, a dor de uma catástrofe pessoal poderá dar lugar a um novo entendimento e a um crescimento interior.

Um indivíduo bom que passa por uma experiência dolorosa pode despertar recursos internos e abrir portas para uma vida nova e mais expandida.

Os tempos difíceis podem motivar-nos e moldar-nos a conquistar o melhor de nós. Podemos usar essas horas para seguir adiante e para cima, para níveis mais elevados de viver, amar e crescer.

A escolha é nossa. Como nos permitiremos sentir? Assumiremos quanto à situação uma posição de resignação e derrota? Questionaremos a vida e o Criador perguntando o que devemos aprender e fazer? Ou usaremos o incidente para comprovar crenças antigas e negativas? Será que diremos: "Nada de bom acontece comigo... Sou sempre uma vítima... Não se pode confiar nas pessoas... Não vale a pena viver?".

Os grandes se recusam a ser vitimados pelas circunstâncias. Ao contrário, usam os eventos traumatizantes como trampolim para uma atitude útil e criativa em relação à vida.

Nem sempre precisamos de desconfortos para nos motivar a crescer e mudar. Não temos de criar, procurar ou atrair uma situação difícil. Mas se ela estiver lá, podemos aprender a canalizá-la para o crescimento e usá-la para conseguir o que é bom na vida.

"Não existe melhor escola que a adversidade."

BENJAMIN DISRAELLI

O Princípio da Oportunidade

"O que não me destrói me faz mais forte."

FRIEDRICH NIETZCHE

A história é conhecida mas vale uma reflexão.

Nossas maiores oportunidades nos parecem habilmente disfarçadas em problemas insuperáveis.

Na década de 70, Lee Iaccocca era o presidente da Ford Motor Company, com uma atuação dinâmica e vitoriosa. Ele tinha criado o Mustang, um carro que vendeu mais unidades no seu primeiro ano de existência do que qualquer outro carro na história do automóvel. Ele tinha levado a Ford a obter lucros em torno de 1 bilhão e 800 milhões de dólares por dois anos seguidos. Ganhava cerca de 970.000 dólares por ano e era tratado regiamente. Mas vivia à sombra de Henry Ford II, um homem que Iaccocca descreve como caprichoso e despeitado. Em 13 de julho de 1978, Henry Ford o despediu.

Menos de quatro meses depois, Iaccocca tornava-se presidente da Chrysler, uma companhia que havia anunciado uma perda de 160 milhões de dólares em três trimestres seguidos, o pior déficit que ela já tivera. Iaccocca achou que a Chrysler não era bem administrada – cada um dos seus trinta e um vice-presidentes estavam trabalhando sozinhos em vez de trabalharem em conjunto. A escassez de petróleo de 1979 agravou os problemas da Chrysler, visto que o preço da gasolina dobrou e as vendas de carros grandes caíram rapidamente. Em 1980, a Chrysler perdeu 1 bilhão e 700 milhões de dólares, a maior perda operacional de empresas dos Estados Unidos.

Mas Iaccocca estava transformando seus obstáculos em oportunidades. Primeiro, tinha sido despedido. Depois, chegou a presidente de uma companhia que a maioria das pessoas pensava estar a caminho da bancarrota. Mas sem esses obstáculos, Lee Iaccocca nunca teria tido a chance de revelar-se. Ele estava decidido a não desistir. Concessões da União, agilização das operações da Chrysler, a criação de novos produtos – tudo isso contribuiu para a recuperação da companhia.

Em 1982, a Chrysler conseguiu lucros modestos. Em 1983, obteve os maiores lucros de sua história. E, em julho daquele ano, liquidou seu controvertido empréstimo avalizado pelo governo – sete anos antes de seu vencimento. A Chrysler introduziu novos modelos que entusiasmaram o público americano: o econômico carro-K, conversíveis, e o minifurgão. As ações da companhia subiram de dois para trinta e seis dólares. Seus acionistas ganharam dinheiro bem como renovaram a confiança na empresa. Seu desafiante *slogan* tornou-se conhecido na nação inteira:

"Se você conseguir achar um carro melhor, compre-o!" Lee Iaccocca chegou a ser um dos mais respeitados líderes empresariais da América, e quando sua autobiografia foi publicada, em 1984, quebrou todos os recordes de vendas de livros.

Essas oportunidades não teriam chegado a Lee Iaccocca se ele não tivesse tido os obstáculos que teve: ser despedido da Ford e enfrentar uma situação de quase bancarrota na Chrysler. Nesses obstáculos, ele encontrou suas maiores oportunidades.

Todo revés traz dentro de si a semente de um avanço equivalente. Cabe a nós apenas procurá-lo.

"Um tropeço pode impedir uma queda."

THOMAS FULLER

Otimismo Versus Pessimismo

"Os pessimistas são meros espectadores. Os otimistas são os que transformam este mundo."

FRANÇOIS GUIZO

Você já notou como algumas pessoas parecem felizes, não importa o que esteja acontecendo em suas vidas? Existe uma certa leveza na personalidade delas. Seus rostos, suas palavras e mesmo a sua maneira de andar parecem exalar um campo de energia brilhante.

Outras pessoas parecem predispostas a pensamentos tristes e negativos, em todas as situações. Se, em um belo dia de verão você disser: "O dia está lindo, adoro esse tipo de clima". Elas imediatamente responderão que detestam calor. "Terrível, muito suor, não dá para trabalhar, difícil de se concentrar. Só serve para plantas tropicais".

No dia seguinte chove. A Srta. Positiva almoça com um amigo negativo. "Adoro chuva", diz ela. "Alivia o calor, você não acha?".

O Sr. Negativo resmunga: "Você está brincando? É ainda pior do que ontem. Só serve para os patos".

Irmãos podem crescer em uma mesma família, em um mesmo ambiente e, ainda assim, se tornarem pessoas completamente diferentes. Em algum ponto do caminho um deles escolhe ver a vida como se tudo fosse possível. O outro decide que a vida é um fardo, acha as outras pessoas detestáveis e não gosta do mundo.

Embora a "historinha" que vou contar seja uma ficção, ela ilustra bem o que estou querendo dizer, isto é, que a maneira de olhar as coisas governa nossa reação a elas. É uma história sobre dois menininhos, gêmeos idênticos, um deles otimista inveterado, e o outro pessimista incorrigível.

Bem, os pais estavam preocupados com isso, e levaram os meninos a um psicólogo infantil, que disse: "Acho que sei o que fazer. No próximo aniversário deles, deem ao pessimista os melhores brinquedos que puderem comprar e ao otimista, um saco de esterco. Isso os colocará no mesmo plano".

E foi o que os pais fizeram. Colocaram os meninos em quartos separados com seus "presentes". Quando foram espiar no quarto do pessimista, viram o menino olhando com desânimo para seus lindos brinquedos e se queixando: "Não gosto dessa cor. Isso aqui provavelmente vai quebrar. Conheço um menino que tem uma calculadora melhor que essa". Os pais olharam um para o outro e soltaram um gemido.

Em seguida, atravessaram o corredor e deram uma olhada no quarto do otimista. Ele estava na maior alegria, atirando o esterco para o alto e dizendo: "Vocês não me enganam! Onde existe tanto esterco assim, só pode haver um pônei por perto!".

Esses dois tipos de personalidades são, geralmente, chamados de otimistas e pessimistas. Enquanto os primeiros tendem a ver o bem em tudo, os últimos veem o mal. Apesar de termos capacidade de ver, tanto o bem quanto o mal, a atenção dada a um deles costuma definir nossa experiência de vida.

O dicionário define pessimismo como uma doutrina ou crença de que o mundo é o pior possível. Que na vida há mais mal do que bem, além de dar ênfase ao lado escuro das coisas.

Seu oposto, o otimismo, é definido como uma doutrina ou crença de que o mundo é o melhor possível. Que o bem sempre triunfa sobre o mal e que a tendência é ver as coisas sob uma ótica esperançosa e alegre, esperando os melhores resultados possíveis.

Ambas as realidades são subjetivas, pois não dizem respeito aos fatos, e sim às nossas atitudes. São formas de acreditar em nós mesmos e no mundo que ou nos limitam ou nos libertam. É importante considerar que temos um poder de escolha sobre nossas atitudes, e que essa escolha pode ou não colorir nossa percepção da vida.

Poucos argumentariam que a escolha do otimismo tornaria nossa vida mais feliz. E o pessimista diria: "Se você não acreditar nem esperar o melhor, nunca terá decepções. Esperando o pior, não há nada a perder". Um dos problemas do pessimismo, entretanto, é a falta de direcionamento da vida rumo às metas alcançáveis, ou seja, o rumo subconsciente é em direção ao fracasso.

Não se pode subestimar o poder de nossa mente. Ao longo da história, a vontade humana vem superando obstáculos aparentemente intransponíveis. O pensamento positivo já provou, repetidas vezes, que quase tudo é possível, desde façanhas físicas, como escalar o Monte Everest, até casos documentados de salvamentos heroicos por pessoas normalmente muito frágeis.

Todos os grandes empreendimentos são liderados por pessoas otimistas. Sem otimismo, Magellan jamais poderia ter navegado ao redor do globo. Sem otimismo, Charles Lindbergh jamais teria atravessado o Atlântico em um teco-teco, abrindo caminho para as viagens aéreas intercontinentais. E sem a crença de que as coisas podem melhorar, as reformas políticas ou sociais, em muitos países, jamais teriam acontecido.

O otimista também é um sonhador. Sem ele, jamais teríamos descoberto a eletricidade. Os inventores, por definição, são pessoas que acreditam na realidade de algo que não podem ver. Procuram também concretizar seus sonhos à luz dos fatos constatados. Um pessimista não poderia ser um inventor, pois perdeu a capacidade de sonhar.

Todos os dias, fazemos opções sobre como reagiremos aos acontecimentos. Escolher o bem cria uma atitude mental positiva, introduzindo equilíbrio em nossas vidas.

A concentração no que funciona bem em nossas vidas traz uma abertura, através da qual qualquer coisa – mesmo os milagres –, podem acontecer.

> "Para o otimista, todas as portas têm maçanetas e dobradiças, para o pessimista, todas as portas têm trincos e fechaduras."
>
> WILLIAM ARTHUR WART

Do Fatalismo à Esperança

"Uma pessoa pode viver quarenta dias sem alimento, três dias sem água, oito minutos sem ar, mas nenhum minuto sem esperança."

AUTOR NÃO CONHECIDO

Contam por aí a história de um homem que percebeu que estava lentamente perdendo a memória. Ele procurou um médico e, após um exame cuidadoso, este lhe disse que uma cirurgia no cérebro poderia reverter a situação e fazê-lo recuperar a memória.

— No entanto – disse o médico –, você precisa compreender que a cirurgia é muito delicada. Se um nervo for lesado, isso poderá resultar em cegueira total.

Um silêncio profundo encheu a sala.

— O que você prefere conservar – perguntou o cirurgião, tentando quebrar o incômodo silêncio, a visão ou a sua memória?

O homem ponderou sobre suas alternativas por alguns momentos e então respondeu:

— A visão, porque eu prefiro ver para onde estou indo, a lembrar onde já estive.

Esse mesmo raciocínio é endossado pela pessoa que entende como a vida está passando rapidamente e que, para sobreviver e prosperar, ela precisa deixar o passado para trás. Você pode não esquecer o seu passado, mas não precisa viver nele.

O passado é um assunto morto e não podemos ganhar impulso para nos mover em direção ao amanhã se estivermos arrastando o passado atrás de nós. Por mais importante que seja o seu passado, ele não é tão importante quanto o caminho que você vê e prepara para o futuro.

Nossos esforços, portanto, devem se concentrar na tarefa de aguçar nossa visão e não salvar nossa memória.

Você consegue hoje lembrar-se do que fazia exatamente há um ano? Sobre o que você estava falando? Você estava zangado ou feliz, ansioso ou confiante? Pode ser que você guarde a vívida lembrança de algo dramático que haja ocorrido. Para a maioria de nós, porém, o que nos preocupava naquele dia ficou nebuloso ou já se desvaneceu de nossa memória consciente.

Quando não temos esperança no futuro, continuamos obcecados com o passado e reféns do fatalismo, sem força para viver o dia de hoje.

O fatalismo é a atitude predominante na maioria das pessoas que vivem arrastando o passado. Ele é expresso em frases como: "Sempre foi assim, nada pode ser feito a respeito disso"; "Não se pode mudar o mundo"; "É preciso aceitar a realidade". Uma pessoa fatalista diz: "De que adianta? No final, vamos perder. Somos vítimas do destino". Essa atitude leva-nos, facilmente, ao ressentimento, à amargura, à desesperança e ao desespero.

Mas preservar a visão é muito diferente do que cultivar uma memória fatalista. É seu extremo oposto, é esperança. Uma pessoa com esperança está disposta a deixar que coisas novas aconteçam e assume responsabilidades que ultrapassam possibilidades jamais cogitadas.

DO FATALISMO À ESPERANÇA

Ter esperança não quer dizer evitar ou ser capaz de ignorar o passado de sofrimento. Na verdade, a esperança nasce no aprendizado com o passado. O fundamento de nossa esperança é acreditar que algo melhor vai acontecer. É crer que hoje é o primeiro dia do restante de sua vida. Assim, de nada serve se inquietar pelo passado, pois não há nada que você possa fazer a respeito. Mas você tem o dia de hoje, e é hoje que começa tudo que está para acontecer.

> "A verdadeira medida do tempo não é o relógio. A verdadeira medida do tempo se chama esperança."
>
> G. EBLING

Ops, Tropecei!

"Aqueles que tentam fazer alguma coisa e fracassam, são infinitamente melhores que aqueles que não tentam fazer nada e são bem sucedidos."

AUTOR NÃO IDENTIFICADO

Você já tropeçou?

Nada atinge tanto a nossa dignidade como tropeçar!

Eu já vi pessoas bem vestidas caírem de cara no chão quando iam para os seus escritórios. Testemunhei sérios maestros e músicos, quando se dirigiam ao palco com suas batutas, instrumentos e partituras, tropeçar e cair, enquanto as partituras voavam caindo como folhas de árvores em uma brisa de outono. Eu assisti um "golaço" garantido – sem ninguém por perto na grande área – ser perdido por causa de um tropeço. Já vi noivas e noivos caírem juntos... Consumidores caírem no supermercado... Rígidos oficiais tropeçarem quando inspecionavam as tropas... Elegantes senhoras tropeçando na rua... Apresentadores se enrolando no fio do microfone e caindo para fora do palco... Formandos tropeçando em suas togas quando iam receber seus diplomas... Um experiente, respeitado e eloquente palestrante que tropeçou e caiu pouco antes de começar a falar. Eu nunca vou me esquecer dessa cena, porque na queda ele cortou o lábio, e fez toda a sua apresentação limpando o sangue que brotava do corte em seu lábio!

Você não conseguiu se lembrar de nenhuma vez em que tenha tropeçado? É mais humilhante ou embaraçoso do que derramar nossa dignidade enquanto caímos em cima do nosso orgulho. A primeira coisa que fazemos é dar uma rápida olhada ao redor para conferir se alguém percebeu. Desejamos nos tornar invisíveis. A lembrança de alguns de meus tropeços me faz ter arrepios.

Mas sabe de uma coisa? Quase sem exceção, a reação dos observadores é de simpatia... Identificação com o embaraço... Dor mútua... Um profundo senso de apoio. Na verdade. A resposta imediata das pessoas é colocar de pé quem caiu. Não consigo me lembrar de nenhuma vez em que a pessoa que tropeçou ficou sem ajuda ou foi pisoteada pelos que estavam passando por perto. Sei que existe uma preocupação momentânea a respeito do orgulho ferido e de seu bem-estar psicológico. E todos que se colocam de pé rapidamente, saindo da breve humilhação, logo esquecem o ocorrido. Podemos aprender muito com esse negócio de tropeçar, meu amigo.

Todos tropeçamos de muitas maneiras.

Ninguém é perfeito... Tropeçar é normal... Um fato da vida... Um ato que garante nossa humanidade.

Talvez você tenha acabado de tropeçar. Sente-se culpado, como um fracassado. Deseja loucamente nunca ter feito o que fez... Você se sente um miserável e gostaria de se esconder, ou melhor – cair e morrer. Ridículo! Saia desse poço de autopiedade, sacuda a poeira – e siga em frente.

Agora, devo acrescentar um pouco de realismo. Em vez de receber a reação normal de compreensão e apoio, você pode encontrar alguém que tenha visto sua queda e que vai querer mantê-lo lá em baixo, ou julgá-lo por causa de seu escorregão. Ignore-o completamente! Ele esquece que já tropeçou. A única diferença é que você não o viu tropeçar. Mas acredite-me, ele já caiu.

A moral disso tudo não é difícil de descobrir:

Você pode superar esta dificuldade – mesmo com tropeços – mas você tem de levantar.

Pessoas que tropeçam e desistem são como moedas de um centavo, existem aos montes. Na verdade, elas são inúteis.

Pessoas que tropeçam e se levantam são como notas de cem reais, são raras. De fato, são de valor inestimável.

"Não é a crítica que conta; nem o homem que aponta como os fortes tropeçaram, ou onde quem fez poderia ter feito melhor. O crédito pertence ao homem que está de fato na arena; cuja face está desfigurada pela poeira e pelo suor; que luta com valentia; que erra e começa de novo, e de novo. Que conhece os grandes entusiasmos, as grandes devoções e se desgasta em uma causa válida; que conhece, em seu melhor momento, os triunfos de grandes feitos; e no pior momento, quando fracassa, pelo menos fracassa ousando muito, de maneira que seu lugar nunca será com as almas frias e tímidas que não conhecem nem a vitória, nem a derrota."

THEODORE ROOSEVELT

Por que Devemos Sair da Zona de Conforto?

"De vez em quando é preciso subir num galho perigoso, porque é lá que estão as frutas."

WILL ROGERS

Por que você deve sair da sua zona de conforto? Por quê, se lá é tão quentinho e aconchegante? Eu lhe darei três boas razões:

A **primeira razão** é que você será obrigado a sair um dia, por mais que resista. Ninguém passa a vida inteira sem encontrar dificuldades. A incerteza é um fato da vida, a única coisa da qual podemos ter certeza.

Não temos de nos entregar a precipitações óbvias ou riscos derrotistas, mas podemos nos permitir correr riscos positivos em busca do crescimento e do progresso.

Não podemos simplesmente optar por uma vida calma, sem nenhuma turbulência. Algum dia em algum lugar, algo nos fará passar por um teste para o qual não estaremos preparados e que gostaríamos de não ter de enfrentar.

Corra riscos. Não espere sempre por uma garantia. Não temos de ouvir: "Eu não disse?" Depois de um erro, sacuda o pó e caminhe para o sucesso.

A **segunda razão** é que, como seres humanos, acredito que procuramos maneiras de nos refinar e melhorar. Temos, dentro de nós, a capacidade e o desejo poderoso de melhorar nosso protótipo. E só podemos fazer isso nos esforçando e testando.

Experimente. Tente algo novo. Dê mais um passo.

Temos estado presos há muito tempo. Temos nos segurado há muito tempo.

Quando crianças, muitos de nós fomos reprimidos do direito de experimentar. Como adultos, não é diferente; continuamos nos privando desse direito.

Agora, é hora de experimentar. Permita-se provar coisas novas. Deixe-se tentar por algo novo. Sim, você cometerá erros, mas a partir desses erros você conhecerá quais são seus valores.

Algumas coisas não apreciaremos. Isso é bom pois saberemos um pouco mais sobre quem somos e o que não gostamos.

Outras coisas nós apreciaremos. Elas funcionarão com nossos valores, com quem somos e contribuirão com a descoberta de coisas importantes e enriquecedoras para nossa vida.

A **terceira razão** pela qual você deve sair da sua zona de conforto é simplesmente que sua vida se tornará muito mais interessante. Sei que você não quer uma vida monótona, previsível, pois se quisesse, não estaria lendo este texto.

Quem leva uma vida segura e previsível nunca saberá que pessoa extraordinária realmente é. Torne desafiadoras as circunstâncias de sua vida para que sua grandeza possa subir à superfície.

"Muitas coisas não ousamos empreender por parecerem difíceis; entretanto, são difíceis porque não ousamos empreendê-las."

SÊNECA

Fazendo Diferença

"Bom não é ser importante. O importante é ser bom."

ROQUE SCHNEIDER

Quero começar este texto, pedindo a você que responda a um questionário. Não é necessário papel e caneta. Faça isso de cabeça. Este miniteste está dividido em duas partes.

Este é o primeiro conjunto de perguntas:

1. Cite as cinco pessoas mais ricas do mundo hoje.

2. Cite os últimos vencedores da corrida de São Silvestre.

3. Cite as vencedoras do Concurso de Miss Brasil nos últimos cinco anos. Muito difícil? Está bem. Então fale o nome da última vencedora.

4. Cite dez pessoas que ganharam o Prêmio Nobel ou Pulitzer. (Está bem, mencione apenas cinco! Ou três!)

FÊNIX - Renascendo das Cinzas

5. Cite os seis últimos vencedores do Oscar de melhor ator ou atriz.

6. Cite os vencedores, na última década, das Copas do mundo de futebol. Ou, se for muito difícil, dê o nome dos melhores jogadores dos cinco últimos jogos da Copa.

Você provavelmente não saberia citar nem três nomes de cada uma dessas categorias, muito menos de todos esses indivíduos. Por quê? Apesar do sucesso na ocasião e das realizações significativas bem recompensadas, os prêmios famosos se vão, e a lembrança de quem os recebeu desaparece rapidamente.

Vamos tentar, agora, a segunda parte do questionário:

1. Cite dois professores que fizeram diferença em sua vida.

2. Cite três amigos que estiveram ao seu lado durante um período difícil.

3. Cite uma ou duas pessoas que acreditaram em você e que pensam em você como alguém de valor.

4. Cite cinco pessoas com quem gostaria de passar um final de semana só por ser divertido estar com elas e as quais admira muito.

5. Cite três ou quatro heróis, vivos ou mortos, cujas vidas inspiraram e encorajaram você.

Como foi dessa vez? Aposto que tirou "A". Na verdade, se houvesse tempo suficiente, você poderia ter citado mais nomes para cada pergunta. Por quê? Porque as pessoas que fazem diferença na vida não são aquelas com as credenciais mais impressionantes nem as que possuem maiores portfólios. Não são sequer indivíduos que ganharam mais prêmios nem aqueles cujos rostos aparecem nas capas de revistas. Essas pessoas causam pouco impacto em nossas vidas. É por isso que esquecemos os seus nomes. As que fazem verdadeira diferença são aquelas que se aproximaram de nós, tornaram-se amigos queridos e, em alguns casos, nossos heróis.

É interessante que, quando se trata de heróis genuínos, a aparência exterior nada significa. O QI deles ou o desempenho que tiveram na escola não faz diferença alguma para nós. Nada disso importa. O que vale são as qualidades notáveis que os tornaram memoráveis.

Permita-me fazer mais algumas perguntas. Sei que estou ficando bastante pessoal. Quando tiver saído desta cena terrena, como as pessoas se lembrarão de você? Que qualidade de caráter perdurará na memória deles, levando-as a dizer que a sua vida foi importante? Por que desejariam parar diante do seu nome gravado em granito?

Algumas histórias são tão boas que vale a pena repeti-las. Esta li no livro de Earl Nightingale, *Percepção – The way up*. Trata-se da história de um jovem que decidiu fazer diferença, e aí descobriu que um único ato de bondade transformou sua vida inteira.

Numa noite tempestuosa há muitos anos atrás, um senhor idoso e sua esposa entraram no saguão de um pequeno hotel em Filadélfia. O homem levou a esposa até uma poltrona e depois se dirigiu à recepção.

— Todos os grandes hotéis da cidade estão cheios. Por favor, vocês teriam um lugar para nós?

O funcionário explicou que, como se realizavam três convenções na cidade, não havia nenhum quarto disponível em nenhum lugar.

— Todos os nossos quartos também estão cheios, disse ele. Todavia, não posso deixar um casal simpático como vocês sair na chuva a uma da manhã. Estariam dispostos a dormir no meu quarto?

O homem replicou que não gostaria de privá-lo de seu quarto, mas o recepcionista insistiu:

— Não se preocupe, eu me arranjo.

Na manhã seguinte, ao pagar a conta, o velho disse ao rapaz:

— Você é o tipo de pessoa que deveria gerenciar o melhor hotel do país. Talvez um dia construa um para você.

O rapaz olhou para o casal e sorriu. Os três acabaram rindo e muito. A seguir, ele os ajudou a levar as malas até a rua.

Dois anos se passaram e o recepcionista já se esquecera do incidente, quando recebeu uma carta daquele senhor. Nela ele relembrava a noite de tempestade e incluía uma passagem de ida e volta a Nova Iorque.

Quando o moço chegou a Nova Iorque, o homem levou-o à esquina da Quinta Avenida com a rua Trinta e Quatro e apontou para um enorme prédio, um verdadeiro palácio de pedras avermelhadas com torres e vigias, como um castelo de fadas elevando-se até o céu.

— Este, disse o homem, é o hotel que acabei de construir para você tomar conta.

— O senhor deve estar brincando, falou o jovem, sem saber se deveria ou não acreditar nas palavras do outro.

FÊNIX - Renascendo das Cinzas

— Não estou brincando não, respondeu o outro com um sorriso travesso.

— Afinal de contas, quem é o Senhor?

— Meu nome é William Waldorf Astor. Estamos dando ao hotel o nome de Waldorf – Astoria e você vai ser seu primeiro gerente.

O nome do rapaz era George C. Boldt, e essa é a história de como ele saiu de um pequeno e medíocre hotel em Filadélfia para tornar-se gerente do que era então um dos hotéis mais finos do mundo.

Astor sabia que a bondade demonstrada por Boldt fora espontânea, sem pensar em tirar qualquer proveito dela, e por isso teve início uma amizade que superou todas as barreiras de *status* social e financeiro. O recepcionista – que certamente recebia apenas um modesto ordenado – decidiu ajudar um estranho por perceber a sua real necessidade. Mal sabia ele que estava cedendo seu quarto a um dos homens mais ricos daquele país. Ele poderia muito bem ser apenas mais um homem de negócios, à procura de um quarto naquela noite tempestuosa e fria.

Por outro lado, aquela semente de amizade, uma vez plantada, germinou para o recepcionista na forma de um cargo muito superior e de maior prosperidade financeira. Narrei essa história aqui por uma única razão.

Quer aqueles a quem ajudemos sejam pobres, ricos, de classe média, negros, brancos, amarelos ou pardos, tudo o que se espera de nós é que lhes estendamos uma palavra, um gesto de amizade. Se o fizermos com o fito de obter lucro, já teremos recebido a nossa recompensa e tudo termina aí. Mas, se nos mostrarmos generosamente solícitos, e compadecidos daqueles que nos rodeiam, seremos abençoados para sempre.

Não ligue para as barreiras tolas levantadas pela sociedade ou pela própria pessoa. Avance confiante e faça diferença.

"Você pouco dá quando dá de suas posses.
É quando dá de si próprio que você realmente dá."

GIBRAN KAHLIL GIBRAN

Mostre Consistência

"Consistência.
É uma joia linda para se usar...
É uma âncora na qual podemos nos amarrar...
É o fio que vale a pena tecer...
É a batalha que devemos vencer..."

AUTOR NÃO CONHECIDO

Consistência. Um modelo de vida de paciência, determinação e força – no meio desses tempos de mudanças, de perda de raízes. Os ataques do desprezo e das críticas podem acertá-lo na face, mas a consistência permanece silenciosa como uma estátua de bronze que recebe a têmpera. Um poeta chama de "joia", outro de "âncora de ferro". Ela não varia com suas subidas e descidas, altos e baixos, "bodes" de segunda ou ressaca de feriados. Odeia atrasos e distrações. Floresce no sacrifício e altruísmo. É uma característica óbvia de maturidade. Ela se mantém enquanto os dias passam, apesar de tudo aquilo que poderia fazer você se desviar do caminho.

Quando somos consistentes, as pessoas aprendem a confiar em nós. Elas podem crescer e desenvolver-se porque sabem o que esperam de nós.

Talvez você já tenha ouvido a história do fazendeiro que passou por vários anos difíceis. Ele foi procurar o gerente do seu banco:

— Tenho uma notícia boa e outra ruim para você. Qual você quer ouvir primeiro? – perguntou o fazendeiro.

— Por que o senhor não me conta a notícia ruim primeiro e acaba logo com isso? – respondeu o funcionário do banco.

— Pois bem. Com a terrível seca, a inflação e tudo, não poderei pagar nem um centavo de meu financiamento neste ano, seja o empréstimo ou sejam os juros.

— Bem, isso é péssimo.

— E tem o pior. Também não poderei pagar nem um centavo do empréstimo que fiz para comprar todo o meu maquinário, nem do empréstimo nem dos juros.

— Uau! A situação é ainda pior!

— É pior do que isso. Você lembra que também fiz um empréstimo para comprar semente, fertilizantes e outros sortimentos? Pois bem, não posso pagar nada – nem o empréstimo, nem os juros.

— Isso é terrível e já basta! Diga qual é a boa notícia.

— A boa notícia – respondeu o fazendeiro com um sorriso – é que tenho a intenção de continuar a fazer negócios com você.

O exemplo é bem-humorado mas mostra a importância da consistência.

Consistência é a resposta para diferentes perguntas:

- O que nos protege contra atitudes extremadas?
- O que caracteriza aqueles que habitualmente são bem-sucedidos nos esportes, vendas ou alguma outra especialidade?
- Qual qualidade nos negócios que constrói um respeito maior do que qualquer outra?
- O que traz segurança aos relacionamentos?
- O que nos faz escolher uma marca em detrimento de outras?
- O que é mais necessário para os pais em casa?

Consistência. Essa é a resposta, e você sabe que isso é verdade. Constância. Você pode contar com ela. Estará lá amanhã, assim como esteve ontem, livre de temperamentos instáveis, mudanças súbitas ou manias passageiras. De manhãzinha, ou tarde da noite, a consistência se mantém firme. Quando a dor ou provocação mordem, a consistência não sangra. Quando a maioria estiver cansada e irritada, a consistência se mantém estável e atenta. Não é insensível, chata, mas segura, confiável. Não é contrária a mudança ou à razão, mas digna de confiança. Não é inflexível, mas sólida. Sim, é isso mesmo: sólida.

Vou exemplificar, venha comigo a Paris, França, 1954. Elie Wiesel é o correspondente de um jornal judaico. Uma década antes ele tinha sido prisioneiro em um campo de concentração para judeus. Uma década depois viria a ser conhecido como autor da obra *Night* (Noite), um relato sobre o holocausto, ganhador do Prêmio Pulitzer. Depois disso, ele recebeu a Medalha do Congresso e o Prêmio Nobel da Paz.

Mas nesta noite Elie Wiesel é um desconhecido correspondente de um jornal, de vinte e seis anos de idade. Está prestes a entrevistar o autor francês François Mauriac, um cristão devoto. Mauriac é o mais recente ganhador francês do Prêmio Nobel de Literatura e é um especialista em política francesa.

Weisel chega no apartamento de Mauriac, nervoso e fumando muito – suas emoções ainda estão descontroladas graças ao horror do nazismo, e sua inexperiência como escritor complica-o ainda mais. Mauriac, que é mais velho, tenta deixá-lo mais à vontade. Ele convida Weisel para entrar, e os dois se sentam na pequena sala. Antes que Wiesel possa fazer uma pergunta, Mauriac começa a falar sobre seu assunto preferido: Cristianismo e Jesus. Wiesel se inquieta. O nome de Jesus é como um dedo apertando suas feridas.

Wiesel tenta reorientar a conversa, mas não consegue. É como se cada coisa na criação levasse de volta ao assunto Jesus e Cristianismo. Mauriac leva cada assunto de volta ao Messias. Wiesel começa a se irritar. O antissemitismo cristão com que conviveu enquanto crescia, as camadas de tristeza resultantes dos campos de concentração – tudo aquilo ferve e transborda. Ele deixa sua caneta de lado, fecha o seu caderno e se levanta zangado. Cavalheiro – ele diz a Mauriac, que ainda estava sentado – o senhor fala de Cristo. Os cristãos adoram falar dele. A paixão de Cristo, a agonia de Cristo, a morte de Cristo. Em sua religião, é só disso que vocês falam. Bem, eu quero que o senhor saiba que há dez anos, não muito longe daqui, eu conheci crianças judias e cada uma delas sofreu mil vezes mais, seis milhões de vezes mais que Cristo na cruz. E nós não falamos delas. O senhor consegue entender isso? Nós não falamos delas.

Mauriac ficou surpreso. Weisel se volta e sai pela porta. Mauriac permanece sentado, em choque, ainda envolto em sua manta de lã. O jovem repórter ainda está

FÊNIX - Renascendo das Cinzas

apertando o botão do elevador quando Mauriac surge no *hall*. Ele toca gentilmente o braço de Weisel. "Volte", ele implora. Weisel concorda, e os dois se sentam no sofá. A esta altura Mauriac começa a chorar. Ele olha para Weisel mas não diz nada. Só chora.

Weisel começa a pedir desculpas. Mauriac não aceita. Ao invés disso, insiste com seu novo amigo para que ele fale. Ele quer ouvir tudo – sobre os campos, os trens, as mortes. Ele pergunta a Weisel por que não escreve sobre isso. Weisel diz que a dor é demasiadamente grande. Ele fez um voto de silêncio. O homem mais velho lhe diz que ele deve quebrar o voto de silêncio e falar.

Aquela noite transformou os dois homens. O drama se transformou na base de uma amizade que durou a vida inteira. Eles se corresponderam até a morte de Mauriac em 1970. "Devo a minha carreira a François Mauriac", disse Weisel... e foi a Mauriac que Weisel enviou o primeiro manuscrito da obra *Night*.

O que teria ocorrido se Mauriac tivesse mantido a porta fechada? Alguém o teria culpado? Atingido pelas duras palavras de Weisel, poderia ter ficado impaciente com o jovem zangado e contente por ter se livrado dele. Mas não foi assim. Ele reagiu decisiva, rápida e afetuosamente. Ele foi "lento na fervura". E por agir assim, um coração começou a ser curado.

Consistência. Ela se revela nos empregados leais, que chegam no horário, arregaçam as mangas e se comprometem a fazer mais do que ficar vigiando o relógio. A diligência é sua irmã; a dependência, sua parceira; a disciplina, sua mãe. Lembre-se:

Consistência

É uma joia para se usar...

É uma âncora na qual podemos nos amarrar...

É o fio que vale a pena tecer...

É a batalha que devemos vencer.

"Paciência e constância de propósito pesam mais que o dobro da inteligência."

ALDOUS HUXLEY

Obstinado Sim, Teimoso Não!

"A experiência humana não seria tão rica e gratificante se não existissem obstáculos a superar. O cume ensolarado de uma montanha não seria tão maravilhoso se não existissem vales sombrios a atravessar."

HELEN KELLER

Você não vai encontrá-lo no manual nacional das espécies raras. Mas ele é raro.

Assim como o mico-leão-dourado, a arara-azul e o tamanduá-bandeira, os obstinados raramente são vistos em nossa paisagem. Aparições ocasionais, contudo, têm sido reportadas em *campus* de faculdades, escritórios e fábricas, olhando com cuidado você encontrará até mesmo dentro de sua casa. Na verdade, apesar de suas aparições serem esporádicas, os obstinados formam a coluna vertebral de qualquer coisa que façam parte. Uma das razões de ser tão difícil de localizá-los é que nunca andam em bandos. São solitários.

FÊNIX - Renascendo das Cinzas

O obstinado é alguém que aspira se sobressair, ser diferente. Um obstinado está comprometido com a essência – completa e inequivocadamente. Suas raízes de dedicação resultam em ricos frutos de determinação, excelência e conquistas. Estabelecendo altos ideais, os obstinados se dirigem diretamente para o alvo, absortos na paixão pela qualidade – conseguida a quase qualquer preço.

É preciso ter coragem para suportar, persistir, não abandonar o que foi começado. A obstinação é uma das mais raras formas de coragem. Quando fazemos um plano e o levamos à frente com persistência, mesmo diante de desapontamentos e dificuldades inesperadas, estamos desenvolvendo a qualidade de coragem.

O sucesso não ocorre da noite para o dia. É o resultado de anos de trabalho árduo, de altos e baixos, de terríveis momentos de incerteza.

Vemos pessoas cujo sucesso parece fruto da boa sorte, mas raramente isso é verdade. Por exemplo, Fred Smith, fundador da Federal Express, é uma dessas pessoas. Ele teve a ideia de fundar uma empresa que entregasse encomendas em vinte e quatro horas, em todo o mundo, quando ainda estudava em uma das melhores escolas dos Estados Unidos. Seus professores, alguns dos maiores talentos nessa área, deram uma nota baixa ao trabalho que ele escreveu sobre isso, dizendo-lhe que era uma ideia ridícula, porque já havia o correio que prestava esse serviço.

Imperturbável, Fred gastou todo o dinheiro que tinha para montar seu negócio. Estabelecendo como meta entregar cento e sessenta e sete pacotes no primeiro dia, mas entregou apenas dois. Não viu isso como fracasso. Sabia que, se pudera mandar dois pacotes sem nenhum problema, poderia mandar muito mais. Estava certo. Hoje a FedEx é um negócio de um bilhão de dólares, e a renda pessoal de Fred é de cinquenta milhões de dólares por ano.

A escritora Joanna Rowling, autora de Harry Potter, também perseverou, vencendo as dificuldades. Quando escreveu o primeiro livro, criava a filha pequena sozinha, e sua única fonte de renda era uma pensão do governo. Escreveu o livro à mão, sentada à mesa de um café, com a filhinha dormindo no carrinho ao seu lado. Depois de muitos meses, quando terminou de escrever a história, enviou o manuscrito a um agente que a rejeitou, alegando que era muito comprida para crianças. Joanna não mudou a história, apenas mandou-a para outro agente, que a adorou.

O livro se tornou um fenômeno, amado por crianças do mundo todo, e mudou o conceito a respeito de histórias infantis. Os direitos autorais do filme foram vendidos para Hollywood por um milhão de libras. A escritora Joanna está entre as mulheres mais ricas da Grã-Bretanha.

Nelson Mandela passou trinta anos na prisão por lutar pelos direitos dos negros sul-africanos. Durante muitos desses anos mantiveram-no em horríveis condições e diziam-lhe que não havia esperança de libertação para ele. No entanto ele conservou a coragem, a sabedoria e o otimismo. Quando finalmente foi posto em liberdade, saiu da prisão com notável dignidade. Tornou-se presidente da África do Sul e é uma figura amada e respeitada em todo o mundo.

Um dos princípios básicos da obstinação é saber quando deixar de perseverar. Não exagere. Talvez você não deseje renunciar a uma ideia ou a um projeto quando as circunstâncias assinalam que deve fazê-lo. Uma pessoa pode ser inteiramente firme e sincera nas suas convicções e, ao mesmo tempo, estar completamente equivocada. O tempo lhe dará a resposta, já que ele é o único fator que pode lhe indicar se deve ou não renunciar. Se já acabou o tempo que você impôs para conseguir alguns resultados importantes e tangíveis e não teve nenhuma recompensa por seus esforços, terá de reavaliar a situação. Esteja disposto a abandonar um projeto inútil; mas antes verifique o que é que está mal. Determine se o seu projeto vale ou não a pena. Não existe maior perda de tempo do que percorrer um caminho que não leva a lugar nenhum. O tempo é seu bem mais precioso. Você pode recuperar um dinheiro perdido, encontrar um velho amigo, levantar um negócio que faliu, saber como fazer voltar a saúde perdida, mas o tempo que se desperdiça foi perdido para sempre. Persevere quando valha a pena e esqueça-se do seu projeto quando se tornar inútil segui-lo. Só os fatos, sua experiência, seus instintos e seu próprio juízo podem decidir se você pode continuar.

Se o seu barco está afundando sem nada que você possa fazer, abandone-o. Algum dia terá outro.

Eu não posso lhe dizer quando deve continuar ou quando deve modificar os seus planos, nem quando deve abandonar o seu projeto para sempre. Só você pode determinar através de análise periódica. Se suas metas são as que realmente busca, se seus planos e ações obtêm recompensas, persevere até atingir o que tanto procura.

Obstinação sim, teimosia nunca!

"O pensamento cria, o desejo atrai e a fé realiza."

LAURO TREVISAN

A Silenciosa Hemorragia da Alma

"Nenhuma pessoa foi arruinada por fora; a ruína final vem de dentro."

AUTOR NÃO CONHECIDO

Não há nada que cause mais amargura do que a autodepreciação. Um sentimento que nos impede de ser felizes, esta terrível doença atinge a todos e poderia ser diagnosticada como "síndrome do coitadinho". Nos casos mais dramáticos nos persuade a olharmos sempre para dentro de nós ao invés de olharmos externamente e para o horizonte. Sussurra pequenas coisas em nossos ouvidos. Lembra-nos do quanto somos depreciados e maltratados; importantes, mas ainda sim desprezados; dotados, mas ignorados; capazes, mas não reconhecidos; brilhantes, mas eclipsados.

Se eu tivesse de escolher uma cor para autodepreciação, eu escolheria o preto azulado e o roxo de um hematoma feio. A autodepreciação é como uma mancha que aparece na superfície de nossas vidas ou nos nossos corpos: um sinal avisando que algo sério está ocorrendo em um nível mais profundo. Temos hematomas quando sangramos por dentro.

Uma das maneiras mais horríveis de morrer é pela hemorragia interna, o sangramento incontrolável dentro do corpo, traiçoeiro porque geralmente é indolor. Não há pistas visíveis mostrando o gotejar minúsculo que começa quando um pequeno vaso sanguíneo rompe até se tornar uma inundação fatal.

A autodepreciação é a silenciosa hemorragia da alma. Você não sente ou não vê a força da vida escapando, até que ela não esteja mais ali. Então, é tarde demais. Esta astuta enfermidade desliza para dentro do escritório do leal empregado que não foi promovido. Olhando de sua mesa imersa em papéis, a sua mente, de repente, é inundada com o lado da pena de si próprio: "Ninguém liga pra você, encare a realidade. Nunca será promovido". Para o desempregado diz: "Sem chances!".

O impacto mais prejudicial da autodepreciação é o seu final. Uma carranca dentro de pouco tempo substituirá seu sorriso. Então você acredita que não pode vencer porque tem maus antecedentes; porque sua família é numerosa; porque você "não conhece ninguém" ou se casou com a pessoa errada; talvez você esteja gordo demais ou fraco demais; não tem dinheiro, não tem talento, tem muitas dívidas, não está seguro de si; é muito feio, branco demais, moreno demais, sua altura é pouca, tem um nariz muito grande? Pretextos. A lista de desculpas que as pessoas inventam poderia encher um livro. Tudo bem, algumas podem até ser verdadeiras, mas nenhuma vai trazer sucesso ou dinheiro; mas certamente entorpeceram a luta para consegui-lo.

Em geral, as desculpas são algo que mascara sentimentos de dúvida. Tenhamos em conta que ninguém tem um complexo de inferioridade quando nasce; isso é algo que se desenvolve com o tempo. Como na verdade ninguém é inferior por natureza, estes sentimentos podem ser vencidos reinstaurando-se a confiança em nós mesmos.

Nunca lhe ocorreu que o fracasso pode ser um excelente professor? Muitas das histórias dos grandes vencedores tiveram origem em desastres pessoais. São poucas as pessoas que venceram na vida, em qualquer campo que seja, que não tiveram de enfrentar o fracasso e repúdio em algum momento de sua vida. Tornaram-se notáveis porque tinham confiança em si mesmas, porque eram fecundadas pelo valor de suas convicções e porque se apoiavam na sua capacidade de se levantarem depois de caírem. Seriam por acaso essas pessoas inferiores só porque fracassaram alguma vez ou tinham qualquer limitação? Claro que não.

Se você se livrar da sua "síndrome de coitadinho", de suas desculpas descabidas, complexos torpes e sentimentos de inferioridade ou de incapacidade, é claro que certamente morrerá. E morrerá de hemorragia da alma. Sem uma única gota de alegria.

"Quase todos os problemas psicológicos — da ansiedade à autossabotagem no trabalho e no amor, do medo da intimidade à escravidão das drogas — têm a sua raiz no amor insuficiente do indivíduo por si mesmo."

NATHANIEL BRANDEN

Por Favor, não Tão Sério

"Brincar é condição fundamental para ser sério."

ARQUIMEDES

A vida não foi feita para lutas. Ou será que foi? O que você acha? Como é a sua? Se você achar que foi, ela será e se você achar que não foi, ela não será. É tão simples assim? Creio que sim. Sua vida é a soma de seus pensamentos e convicções a respeito dela. A vida é da maneira que você acha que ela deve ser. Se você aprendeu que a vida é uma luta, assim ela será. Uma ideia muito arraigada sobre o jeito que a vida é pode guiá-lo durante toda sua existência – até que você a veja e faça algo a respeito. Até lá, a vida é exatamente o que você foi levado a acreditar. Na maioria dos casos é provável que ela seja "difícil".

Recentemente, encontrei um pequeno comentário sobre um dos meus personagens prediletos da história americana, o *Mago de Menlo Park*, Thomas

FÊNIX - Renascendo das Cinzas

Alva Edison, o inventor. Ele foi, de fato, o homem que teve quase 1.100 de suas invenções patenteadas.

Graças a esse gênio curioso e desbravador, temos luz acima de nossos ombros, som emergindo de discos óticos, pequenas caixas que guardam energia suficiente para dar partida nos carros, filmes que incluem trilhas sonoras, pequenos cilindros de metal que permitem que nossa voz seja ouvida por milhares de pessoas... e centenas de outros aparelhos que agora não damos valor. Nós não vivemos um dia sem desfrutar dos frutos dos inventos de Edison.

Nem todo mundo é tão próspero, ou prático. Entre 1962 e 1977, Arthur Pedrick patenteou 162 invenções. Parece expressivo, até que você descubra que nenhuma se tornou comercial. Nenhuma.

Dentre suas maiores invenções estão:

- uma bicicleta com capacidade anfíbia;

- um dispositivo com o qual é possível dirigir o carro do banco de trás;

- muitos inventos para golfe, incluindo uma bola que podia ser guiada em pleno ar.

O grande projeto de Pedrick, que se descrevia como "um homem pensativo", era irrigar os desertos do mundo mandando um abastecimento constante de bolas de neve da região polar através de uma gigantesca rede de tubos.

Você está rindo e pensando: "Daniel está inventando isso". Errado. Isso está documentado em um livro que li, de Stephen Pile, propriamente intitulado *The book of failures* (*O livro dos fracassos*). Você encontra coisas inacreditáveis ali.

Lembro-me de algo que ocorreu em 1978, durante uma grande greve do corpo de bombeiros na Inglaterra, que permitiu uma das maiores tentativas de resgate de animais de todos os tempos. Valorozamente, o exército inglês assumiu o combate ao incêndio. No dia 14 de janeiro eles foram chamados por uma senhora idosa do sul de Londres para que resgatassem seu gato. Eles chegaram rápido e, hábil e cuidadosamente, o salvaram, e se preparavam para ir embora. A senhora ficou tão agradecida que os convidou para um chá. Quando iam embora, acenando amavelmente com os braços, eles passaram por cima do gato e o mataram.

O prêmio de arma mais inútil de todos os tempos vai para os russos. Eles inventaram o "cão-mina". O plano era treinar cachorros para associar comida com fundo dos tanques, na esperança de que fossem correr famintos contra as divisões Panzer. As bombas eram presas nas costas dos cachorros, e estes eram colocados onde nenhuma companhia de proteção pudesse vê-los.

Infelizmente, os cachorros só associaram com comida os tanques russos. O plano começou no dia em que a Rússia se envolveu na II Guerra Mundial... e foi abandonado no dia seguinte. Os cachorros com bombas nas costas forçaram uma divisão soviética inteira a recuar.

Tudo isso me trouxe a mente dois pontos muito curtos e simples:

1. Não importa o quão sincero sejamos ou quão duramente trabalhemos, alguns dias serão melhores se forem esquecidos. Lei de Murphy, lembra-se?

2. Algumas coisas que pareciam terrivelmente importantes e sérias na hora, se tornarão absolutamente hilariantes depois de pouco tempo.

Alguma coisa parece terrivelmente importante para você hoje? Extremamente séria e vital? Quase ao ponto da abstração? Conte seus dias. Observe por outra perspectiva. Saiba que não vai demorar muito para que você esteja olhado esta difícil questão de uma forma diferente. No futuro você poderá estar rindo de algo que consome seu coração hoje.

Não sofra com coisas pequenas. Ninguém consegue vencer tudo o tempo todo. Nem mesmo Edison, Pedrick, os gênios russos ou o exército inglês...

Vamos aprender uma lição com aqueles cachorros que carregam uma bomba nas costas. Alguns de nossos planos mais bem elaborados explodem em nossa cara. Então, quando a fumaça se dissipar, tente sorrir em vez de chorar. A vida não é tão dura quanto você está imaginando. Vamos, sorria!

"Se você perder a capacidade de rir, perderá a de pensar."

CLARENCE DARROW

A Travessia do Rubicão

"Temos a eternidade toda para ser cautelosos, mas então estaremos mortos."

LOIS PLATFORD

Em 11 de janeiro de 49 a.C., o general e estadista romano Caio Júlio César tomou uma decisão crucial: atravessar o rio Rubicão com seu exército, transgredindo a lei do Senado que determinava o licenciamento das tropas toda vez que o general de Roma entrasse na Itália pelo norte. Esse ato foi uma declaração de guerra civil contra Pompéia, que detinha poder sobre Roma. Com as palavras *alea jacta est* (a sorte está lançada), César resolveu voltar com suas legiões à cidade. Uma vez atravessado o Rubicão e já em terras romanas, ele sabia que não tinha volta. Ou ele e seus soldados tomavam a cidade ou Pompeia os destruiria.

A decisão de César mudou o rumo da história. Antes que ele atravessasse o rio, a tomada de Roma era apenas uma ideia, um desejo que ele poderia concretizar.

Decorre, deste fato histórico, que atravessar o Rubicão é pensar grande, ultrapassar fronteiras, defrontar-se com um caminho sempre difícil e desconfortável. César, apesar disso, atravessou o Rubicão.

FÊNIX - Renascendo das Cinzas

Para ter êxito na vida, você tem de ser vulnerável. É preciso arriscar-se em território desconhecido, sem resultados prometidos ou calculados. É preciso ultrapassar os limites da zona de segurança e confiar que Deus vai cuidar de você, mesmo que você não saiba como. A verdadeira aventura da vida está em ir além da segurança aparente do já conhecido, impelidos pela constatação de que não são as nossas defesas pessoais que garantem nossa segurança, mas um poder que vai muito além da nossa débil encenação de autoproteção.

Há muito tempo que a segurança tem sido o lema dos que não prosperam, mas nunca foi o lema dos vencedores. O vencedor deve enfrentar o perigo. Deve correr o risco, a culpa e o peso da tempestade, se quiser ter oportunidade ou criá-la. Não se pode erguer a cabeça acima da água sem jamais esticar o pescoço.

Um sonho que não inclua risco não merece ser chamado de sonho. Aquele que não arrisca fará poucas coisas ruins, mas fará pouquíssimas coisas. Se jamais corrermos riscos, jamais realizaremos coisas grandes.

O jogo de cartas do Tarô mostra o bobo como um jovem que caminha despreocupadamente pela borda de um precipício, assobiando. Há uma controvérsia quanto a saber se essa carta é a mais baixa ou a mais alta do baralho. São as duas coisas. Existe a tolice cega que nos leva a causar danos a nós mesmos porque não damos atenção aos sinais que estão nos advertindo do perigo. Mas existe também a divina tolice que nos permite ouvir a orientação de uma voz interior que, embora talvez pareça ridícula para o mundo, na realidade procede da profunda sabedoria que nos encaminha para um bem superior. E diz: "Se você quiser que sua vida sempre melhore, terá de assumir riscos. Não existe nenhum jeito de crescer sem arriscar nada. Recuse-se a unir-se à multidão cautelosa que joga para não perder. Jogue para ganhar".

Alea jacta est. O sucesso favorece a ousadia. O mundo é um livro em que os que não assumem riscos leem apenas uma página. Vamos, atravesse o seu Rubicão.

"Não se pode saltar sobre um abismo com dois pulos pequenos."

DAVID LLOYD GEORGE

O Poder de um Sonho

"Os sonhos se tornam realidade; se não houvesse essa possibilidade, a natureza não nos instigaria a tê-los."

JOHN UPDIKE

Nunca subestime o poder de um único sonho.

Ninguém pode negar o modo como um sonho mudou para sempre o cenário dos Estados Unidos. Esse sonho chegou à notoriedade nas escadarias do Memorial a Lincoln, em 28 de agosto de 1963. Sob um sol do meio-dia, o homem que recebeu o Prêmio Nobel da Paz, Martin Luther King Jr., falou a milhares de pessoas. Sua paixão soava em alto e bom som para os ouvintes sedentos que, em pé, ocupavam toda a área desse monumento nacional:

Digo a vocês hoje, meus amigos, que a despeito das dificuldades e frustrações do momento, eu ainda tenho um sonho.

[...] Tenho um sonho de que um dia esta nação se levantará e viverá o verdadeiro significado de seu credo:

FÊNIX - Renascendo das Cinzas

Consideramos estas verdades como evidentes por si mesmas, que todos os homens foram criados iguais

[...] Tenho um sonho de que meus quatro filhos, um dia, vivam em uma nação onde não sejam julgados pela cor de sua pele, mas pela essência de seu caráter. Tenho um sonho hoje!

Esse sonho se fez ouvir por todos os Estados Unidos. Logo 100 mil pessoas fizeram uma marcha em Selma, Alabama. Outras fizeram piquetes em Birmingham. Os que se opunham ao sonho queimaram as casas dos que faziam o piquete e destruíram seus carros, mas sua esperança – sustentada pelo sublime sonho de um homem – permaneceu firme.

Uma nação inteira estremeceu sob o poder do sonho de um homem!

Você já conheceu alguma pessoa que não tinha a menor ideia do que queria na vida e, ainda assim, tenha sido bem-sucedida? Eu nunca vi. Todos nós precisamos de alguma coisa pela qual valha a pena lutar. O sonho nos dá isso.

O mundo de um cego é definido pelos limites de seu tato, o mundo de um homem ignorante, pelos limites de seu conhecimento, o mundo de um grande homem é definido por sua visão. Se sua visão – seu sonho – é grande, então é grande seu potencial de sucesso.

Quando temos um sonho, deixamos de ser expectadores sentados na poltrona à espera de que tudo acabe bem. Participamos ativamente na definição do propósito e do significado de nossas vidas. Os ventos das mudanças não nos levam de um lado para outro. Nosso sonho, quando perseguido, é o melhor prognóstico de nosso futuro. Isto não quer dizer que temos algum tipo de garantia, mas realmente aumenta em muito nossas chances de sermos bem-sucedidos.

Ouse sonhar e trabalhar seu sonho. Faça isso a despeito de problemas, circunstâncias e obstáculos. A história está cheia de homens e mulheres que se depararam com adversidades e alcançaram sucesso apesar dela. O orador grego Demóstenes, por exemplo, era gago. Na primeira vez que discursou na tribuna romana, saiu de lá ao som de gargalhadas, mas ele tinha o sonho de ser um orador notável. Ele perseguiu este sonho e cultivou seu potencial. Diz-se que ele costumava colocar pedrinhas na boca para praticar na praia, falando ao som da arrebentação das ondas. Sua persistência valeu a pena. Ele realizou seu sonho: tornou-se o maior orador do mundo antigo.

Um velho ditado italiano diz que "entre o dizer e o fazer existem vários pares de sapatos gastos". Um grande número de pessoas possui sonhos e muitas delas têm sentimentos profundos com relação a eles. Mas o que diferencia o idealizador de um sonho de um mero sonhador é a ação e a fé.

Comece com um sonho, uma prece, sem dinheiro nenhum. É assim que os sonhos se tornam realidade. Você não se atira para lá e para cá atabalhoada e irresponsavelmente. Comece modestamente; mantenha os pés no chão, certifique-se bem de que está agindo segundo uma perspectiva integral, esteja certo de que você detém o controle e de que você sabe para onde está indo. Não comece querendo abocanhar tudo, pois engasgará. Comece modestamente. Centímetro por centímetro, passo a passo.

"Impossível". Não acredite nesta palavra. Pode ser que você tenha de revisar seus planos, de reescalonar suas prioridades, de remodelar seus projetos, redefinir sua estratégia, deslocar seu centro de energia, checar de novo suas respostas tradicionais, sair da rotina, mas não é impossível.

Se você ainda não descobriu qual é seu sonho, provavelmente está percebendo quanto está perdendo. O sonho vai lhe dar uma razão para prosseguir, um caminho a seguir e um alvo a alcançar.

"É difícil dizer o que é impossível, pois a fantasia de ontem é a esperança de hoje e realidade de amanhã."

ROBERT H. GODDARD

O que Fazer com os Meus Fracassos?

"O único homem que nunca comete erros é aquele que nunca faz coisa alguma. Não tenha medo de errar, pois você aprenderá a cometer duas vezes o mesmo erro."

ROOSEVELT

Fracasso: palavra que tememos. Alguns de nós não permitem que ela faça parte de nosso vocabulário. Fracasso ocorre com os outros, ou pelo menos acreditamos assim. Porém, o fracasso faz parte da vida de qualquer ser humano.

Todos nós falhamos... Alguns mais, outros menos. Qualquer pessoa consegue se lembrar de algum momento do passado que gostaria de mudar. Pode ser uma nota "zero" obtida em um trabalho escolar, a esperança de uma carreira que não se concretizou ou o profundo desgosto de ver que anos investido em um relacionamento foram simplesmente jogados fora. Isso machuca.

A palavra "fracasso" significa mau êxito; malogro; ruína. As palavras "falência" e "falível" têm a mesma origem. O sentido é de não atingir o fim desejado. Mas será que fracasso é apenas a falta de

FÊNIX - Renascendo das Cinzas

sucesso? Não é simplesmente o ato de fazer algo errado ou de não completar aquilo que havíamos planejado fazer? Talvez não.

Muitas pessoas atingiram metas significativas, mas não encontraram satisfação nelas. Este também é um dos lados do fracasso. É como escalar uma montanha, chegar até o cume e, então, descobrir que escalou a montanha errada.

Você já se sentiu assim? Já investiu em um relacionamento, em uma carreira ou em um empreendimento que o tenha deixado completamente desapontado? Se já, é bem possível que tenha feito a pergunta: "A vida é apenas isso?".

A resposta é não. O fracasso não é apenas a dor de uma perda, mas também a dor de um recomeço. O fracasso tem muito a ver com a perspectiva que temos dele.

Quando você experimenta o fracasso, **julga-se a si mesmo** por ter falhado ou **julga aquilo que você fez** como incorreto? A diferença é crucial. Você pode deixar o fracasso derrotá-lo e destruí-lo, ou pode mirar-se na história daqueles que falharam, porém deixaram um grande legado.

Se existe algo que nos fascine mais do uma história de sucesso, é o oposto: um retrato do fracasso. O mais querido dos cartunistas, Charles Schultz, conquistou o coração de muita gente com o inesquecível Charlie Brown, que nunca encostou o pé na bola de futebol. Jamais conquistou o amor da menininha ruiva. No beisebol, nunca acertou uma jogada. Até Snoopy, seu cão, nunca se lembrava do nome dele. E seus amigos o chamavam de "cabeçudo". Todos sabem exatamente como ele se sente. Muita gente sabe o que significa voltar para o banco de reservas, depois de uma atuação desastrosa que fez seu time perder.

Somos pressionados por todos os lados. Ameaçados pelo fracasso, pelo nocaute. Isso significa ser humano. Todos fracassamos de muitas maneiras.

Stephen Pile publicou um livro chamado *O livro incompleto dos fracassos* e relacionou na sua crônica dos fracassos: a professora de Edson, que disse que aquele aluno era burro demais para aprender; o professor de Einstein, que definiu o menino como "mentalmente lerdo, insociável, sempre distante em seus sonhos tolos"; o caça-talentos de Hollywood, que falou que Fred Astaire era calvo, não sabia cantar e dançava "um pouco"; o editor de jornal que despediu Walt Disney porque alegava falta de imaginação; e os diretores executivos da Disney que rejeitaram *Guerra nas Estrelas*, ao alegar que seria um verdadeiro fracasso de bilheteria.

Enquanto contamos essas histórias, rimos com desdém dos professores, empresários e executivos que rejeitaram gênios. Temos a vantagem da perspectiva total. Mas na hora, no calor da rejeição, você não acha que Fred Astaire, Thomas Edson e Walt Disney se sentiram um fracasso? Os melhores e mais famosos ao longo de toda a história têm isso em comum: todos tropeçaram.

Michael Jordan, um dos astros do basquete americano, certa ocasião disse: "Errei mais de 9 mil arremessos em minha carreira. Perdi quase 300 jogos; 26 vezes me confiaram o arremesso da vitória e eu errei. Falhei muitas e muitas vezes em minha vida... e é por isso... que sou vencedor". Michael Jordan encontrou o sucesso no esporte não porque nunca tenha falhado, mas porque se levanta depois de cada erro e começa de novo.

O fracasso é um ingrediente do sucesso, fator principal do recomeço. Muitas pessoas bem-sucedidas dizem que a chave para tomar decisões acertadas na vida está no fato de termos feito algumas opções erradas.

Portanto, considere esta pergunta: O que você pode fazer para rever a maneira como você enxerga o fracasso?

Essa é a sua vida, e esses são seus fracassos. Não vai aparecer nenhum helicóptero para resgatá-lo. Nenhum gênio sairá da lâmpada para ajudá-lo. Não existem borrachas mágicas que façam as coisas desaparecerem.

Essa é a sua vida. Não dá para evitá-la. Então, mergulhe dentro dela e recomece. Dê um passo de autoconfiança, confie em Deus, tente novamente na área em que você fracassou.

Um pequeno passo prático vale por cem discursos de incentivo que você pode fazer a si mesmo. Lembre-se, porém, de uma coisa: esteja disposto a fracassar.

> "No rio da vida existem fortes correntes que, quando não são enfrentadas, nos carregam rio abaixo. Podemos escolher ser vítimas passivas dessas correntes ou começar a avançar contra elas com determinação."
>
> KURT D. BRUNER

Procrastinação

"Nunca deixes para amanhã
o que podes fazer hoje."

LORD CHESTERFIELD

Já lhe ocorreu de ter um problema tão difícil e tão complexo que você não sabia por onde começar a resolver? Você já teve um exame que envolvia tanta matéria que não sabia por onde começar a estudar? Muitos já passaram por esta situação e se sentiram oprimidos.

Por volta de 1770, Philip Dormer Stanhope – conhecido como Lord Chesterfield – decidiu escrever para seu filho uma série de cartas que transmitiam bons conselhos para uma vida que ele considerava ser positiva. Entre os conselhos havia o famoso "Nunca deixes para amanhã o que podes fazer hoje".

Procrastinar é deixar para amanhã algo que se tem de fazer hoje. Em muitos casos, as razões aparentes que nos levam a cometer esse erro são: medo, dúvidas ou desculpas. No fundo, porém, o motivo básico é a falta de motivação.

FÊNIX - Renascendo das Cinzas

A procrastinação é fatal. Vejamos alguns exemplos: Qualquer dia desses vou ao dentista. Qualquer dia desses vou fazer aquela cirurgia. Qualquer dia desses vou passar mais tempo com a família... voltar a estudar... retomar meu regime... realizar aquele sonho. Qualquer dia desses vou entrar em forma. E o "qualquer dia desses...", frequentemente, nunca chega.

Um dos meus filmes prediletos é o antiquíssimo *Os dez mandamentos*, no qual Charlton Heston está de pé separando o mar vermelho para que os hebreus pudessem atravessá-lo. A cena que me chama atenção refere-se às dez pragas que Jeová enviou aos egípcios. Uma das pragas é a da rãs... Havia rãs por toda a parte. Faraó chama Moisés e diz: "Muito bem Moisés, desisto". Então Moisés pergunta: "Quando você quer que eu acabe com as rãs?". A resposta do Faraó foi clássica, ele disse: "Amanhã". Ele devia estar louco! Por que alguém esperaria tanto tempo para acabar com as rãs?

Como você se sentiria ao passar mais uma noite com as rãs? Por que uma pessoa adiaria uma oportunidade positiva? Esperávamos que o Faraó dissesse: "Acabe com as rãs agora mesmo!". E, no entanto, ele respondeu: "Amanhã".

Fazemos isso o tempo todo. Procrastinamos, deixamos para depois as mudanças que sabemos ser boas para nós. Por quê? Talvez sejamos complacentes; talvez sejamos preguiçosos demais para mudar; talvez estejamos com medo porque não sabemos em que essas mudanças implicarão; talvez sejamos orgulhosos demais ou simplesmente obstinados. Seja qual for o motivo, procrastinamos.

Ainda mencionando o grande clássico *Os dez mandamentos*, Yul Brynner, que representou o Faraó, tinha uma frase saborosa: "Assim seja escrito, assim seja feito!".

Minha dica para você, caso tenha tendência a procrastinar, é que hoje à noite, antes de dormir, anote em uma folha de papel algo que pretende realizar amanhã. Devem ser uma tarefas relacionadas com uma meta de curto, médio ou longo prazo.

Estabeleça um tempo para cumpri-las. Se perceber que levará mais de uma hora, divida-a em várias partes e comprometa-se a realizar nesse dia pelo menos uma delas. "Assim seja escrito, assim seja feito!".

Cada um se dirige para um objetivo de maneira gradual. Em geral, são pequenos passos.

Se não dermos os passos necessários, não progredimos e poderemos, no futuro, andar para trás. Seguindo o conselho de Lord Chesterfield, que consiste em não adiar o que deve ser feito hoje, podemos conseguir um encaminhamento organizado, harmonioso e firme na direção de qualquer objetivo que estabelecemos para nós.

"As pessoas comuns preocupam-se
apenas em passar o tempo.
As que têm talento, em utilizá-lo."

ARTHUR SCHOPENHAUER

Segunda Parte
Crescimento

A Influência de uma Vida

"A verdadeira fortuna de um homem
é o bem que ele faz no mundo."

MAOMÉ

Desde pequeno gosto de biografias. Não me lembro de quando as li. Algumas me impressionaram de modo especial e deixaram recordações inolvidáveis. As vidas de Mahatma Gandhi, Martin Luther King, Helen Keller, Abraham Lincoln e George Washington Carver foram especialmente significativas. Algumas delas compartilhei com você na primeira parte deste livro.

Ao ler tantas histórias sobre a vida de muitas pessoas reparei em um fato que é uma constante em todos os que conseguiram fazer da sua vida algo importante: em todos os casos houve alguém que lhes serviu de inspiração e alento. Uma vida cuja influência foi projetada no desenvolvimento das suas próprias biografias. Muitas delas são de desconhecidos. Quase nem se sabe o nome, mas foram os que estabeleceram um marco que significou um antes e um depois nas suas vidas.

FÊNIX - Renascendo das Cinzas

Anne Sullivan, uma modesta professora quase cega, foi a pessoa mais importante na existência de Helen Keller. Não só a tirou do poço da angústia em que Hellen tinha caído em consequência de uma doença que a deixou surda e cega, mas também a ajudou a converter-se em uma profissional universitária, escritora e conferencista internacional. John Dalton, o famoso químico, foi determinante para impulsionar a paixão pelo saber do jovem William Worral Mayo, órfão de pai, que se converteu no fundador de uma das clínicas médicas mais importantes do mundo, a famosa Clínica Mayo, fundada em conjunto com os seus filhos, também médicos.

Uma mulher quase ignorada pela história foi determinante para o desenvolvimento de um dos mais extraordinários reformadores da história do Cristianismo: Martin Lutero. Uma senhora abastada, atraída pelas orações deste jovem e pela humildade com que recebia qualquer sobra de comida, recebeu-o em sua casa e tratou-o como um filho. Foi Úrsula Cota, que Martin Lutero considerou, para o resto da vida, como sua mãe adotiva, pois não só o tinha tirado da mendicância quando adolescente, como também o ajudou para que ele pudesse estudar e construir um futuro.

O Dr. Haller, que dirigia um escritório de patentes de invenções, contra todas as recomendações aceitou um jovem "meio morto de fome" para trabalhar enquanto terminava os seus estudos. Na verdade era pouco o que o estudante dedicava àquele trabalho; a maior parte do tempo escrevia e fazia cálculos de física. Mas este homem soube compreender o caráter calmo e taciturno daquele estranho jovem e o apoiou em um momento difícil da sua vida. Graças a este gesto, naquele escritório começou-se a pensar em uma das teorias científicas que revolucionaram a ciência contemporânea, a teoria da relatividade. Albert Einstein nunca deixou de agradecer esse gesto amável e a confiança que aquele homem depositou em si.

Talvez poucos conheçam o nome Almont Wright. No princípio do século XX ele era conceituado como um dos melhores bacteriologistas do mundo e sua maior proeza foi ter incentivado, inspirado e guiado quem é hoje considerado um dos cientistas mais importantes do século XX, o descobridor da penicilina, o Dr. Alexandre Fleming, que ganhou o Prêmio Nobel da Medicina em 1945 pelas suas extraordinárias dádivas à ciência.

Putlibai é um nome desconhecido para muitos, contudo, debaixo da sua influência e exemplo um jovem chegou a ser um dos artífices mais importantes da liberdade de consciência do século XX. Putlibai era uma mulher jovem, mas com uma religiosidade que sempre influenciou o seu filho. Anos mais tarde e convertido em "alma grande" ou "o magnânimo", como costumavam chamar-lhe os seus seguidores, Mahatma Gandhi recordava a sua mãe como uma mulher de grande inteligência e de profunda fé. A sua maior dor foi não estar na Índia quando ela morreu.

Poderia prosseguir horas e horas narrando em intermináveis parágrafos a história de homens e mulheres que hoje recordamos como seres extraordinários; não obstante, todos tiveram o privilégio de que em algum momento cruzou, nas suas vidas, outro ser humano que foi determinante para o seu desenvolvimento posterior.

É sempre assim. As pessoas motivam-se por modelos humanos. A presença de outra pessoa que conseguiu superar obstáculos, tomar decisões transcendentes, viver em harmonia com a sua consciência ou realizar proezas extraordinárias tem sido e continuará a ser decisiva na vida dos seres humanos.

Por vezes atuamos e vivemos como se dependêssemos exclusivamente de nós mesmos para a realização das nossas metas. Em uma ocasião ouvi um estudante gabar-se dos seus resultados acadêmicos, como se isso fosse possível apenas em virtude de sua inteligência e nada mais. Invariavelmente, nessas circunstâncias costumo perguntar: Não há alguém a quem deverias agradecer por esse êxito? Sistematicamente olham-me surpresos, e pouco depois a maioria recorda com nostalgia um dos seus pais, um amigo, um professor, alguém que, de um modo ou de outro, permitiu que ele conseguisse chegar onde está.

Os seres humanos foram criados por Deus para viver interdependentemente. A nossa sociedade extremamente individualista nos fez crer, falsamente, que os êxitos que temos na vida dependeram exclusivamente de nós mesmos e de mais ninguém. Mas essa não é a realidade. Basta rever a vida de homens e mulheres notáveis para darmos conta de como essa suposição é enganosa. Todos os que conseguem fazer das suas vidas algo digno e notável tiveram, em algum momento, ao seu lado, alguém que os impulsionou, animou e acreditou nas suas possibilidades.

Lembro-me que um dos meus professores, a quem eu admirava bastante, disse em uma ocasião que os jovens necessitavam de pessoas que lhes servissem de modelo. Nessa altura agradeci-lhe por aquilo que ele próprio tinha significado para mim como professor e educador. Agradeceu-me com humildade e replicou: "Mas, Daniel, não te esqueças que sempre, embora você tenha um modelo, invariavelmente há alguém que o observa também e te tem como exemplo". Não podemos andar pela vida como se vivêssemos na ilha de Robinson Crusoé, sós e sem ninguém com quem falar.

Os filhos observam os seus pais. Os alunos, os seus professores. Os cidadãos, os seus governantes. Há sempre alguém a ser observado por outra pessoa.

Uma das razões pelas quais milhões de jovens se convertem em fanáticos seguidores de artistas de cinema, desportistas, cantores etc., é que de um modo ou de outro encarnam um ideal que os estimulam a seguir.

FÊNIX - Renascendo das Cinzas

Independentemente de podermos catalogar alguns deles na seção daqueles que procuram antivalores, a verdade é que os jovens respondem simplesmente a uma realidade própria da humanidade. Todos nós necessitamos de modelos a quem seguir e de pessoas que nos permitam crer em nós mesmos e que nos digam: "Você pode! É possível! Segue em frente! Ouse sonhar!".

Há alguém a quem você deve escrever uma carta ou fazer um telefonema só para agradecer o que tem feito por você? Há alguma pessoa que foi importante para a sua vida e a quem você nunca disse nada a esse respeito? Talvez seja bom escrever hoje uma carta, um *e-mail* ou fazer um telefonema, antes que morram e que você lamente não ter dito o que devia no momento oportuno.

Toda a vida é uma possível influência para alguém. Que tipo de influência você tem sido para outras pessoas?

"Devemos ser gratos a todos que nos tornaram felizes;
Eles são os maravilhosos jardineiros que fazem nossa alma florescer."

MARCEL PROUST

Da Calmaria ao Caos

"Nem sempre a vida é um jogo com cartas boas. Às vezes temos de jogar também uma mão ruim."

ROBERT LOUIS STEVENSON

Às vezes, a vida é assim, uma calmaria. Há caminhadas na jornada da vida que são tão cristalinas como um lago à meia-noite, sem vento. Não há ruído, nem pressa, nem crises. Existem trechos em nossa música em que o maestro silencia o tambor e somente permite que o canto da flauta seja ouvido. E ela então soa. Sob a magia de sua música, os prazos não são tão críticos, a morte fica distante, as pessoas queridas continuam queridas e estão muito próximas, as nuvens escuras do medo, das dívidas e dos telefonemas raivosos já passaram. E por um instante, o mundo se torna o luar do lago tranquilo.

Está tudo muito calmo, porém há possibilidade de a calmaria virar um caos.

FÊNIX - Renascendo das Cinzas

"Dias horríveis", "parece que tudo deu errado..." Não importa o nome que você dê: parece que há dias que não valem a pena serem vividos. Não importa se é uma segunda-feira chuvosa, se levou um escorregão no banheiro ou se aconteceu uma tragédia que pode mudar totalmente o curso de sua vida, acabando com todas as esperanças e partindo seu coração. Normalmente surgem três perguntas nessas ocasiões:

— Por quê, Deus, por quê?

— Quando, Deus, quando?

— Vou sobreviver, Deus, vou?

E você fica pensando: Por quê? Por que eu? Por que agora? Por que isso? Por quê, Deus, por quê? Se você está fazendo estas perguntas, lembre-se de que não está sozinho. Elas são tão antigas quanto a própria humanidade. Somente suas crenças sobre a vida determinarão o modo como você vai reagir às crises e ao momentâneo sofrimento.

Em si, o sofrimento não é um mal que tenha de ser evitado a todo custo, mas um mestre com o qual podemos aprender muito. O sofrimento nos instrui, dizendo para mudar, parar de fazer uma coisa ou começar a fazer outra, parar de pensar de um jeito e começar a pensar de outro.

Quando nos recusamos a ouvir o sofrimento, ele diminui e tudo quanto nos resta é nos transformar em escapistas. Na verdade, estamos dizendo: Não vou ouvir. Não vou aprender. Não vou mudar.

Pessoas abertas que crescem, não têm má vontade com a pedagogia do sofrimento e estão sempre dispostas a mudar. Dão início às respostas e ajustes adequados. Outras, por razões desconhecidas, simplesmente não absorvem as lições do caos. Preferem uma existência narcotizada e tranquilizante, uma calmaria sem ganhos. Estão dispostos a realizar apenas 10% de seu potencial, infelizmente.

Nicolo Paganini foi um violinista muito conhecido e talentoso do século XIX. Seu concerto mais memorável, contudo, foi marcado por "movimentos frenéticos" e não foi por sucesso fácil. O concerto foi executado na Itália por uma orquestra completa, perante uma casa lotada.

Aqueles que o ouviram tocar dizem que a técnica de Paganini foi incrível, e sua modulação fantástica. Perto do final do concerto, Paganini estava emocionando a plateia com uma composição muito difícil, quando uma corda de seu violino arrebentou e ficou pendurada, presa só por uma das pontas. Paganini franziu as sobrancelhas por um instante, balançou a cabeça e continuou a tocar, fazendo um maravilhoso improviso.

De repente, para surpresa de todos, inclusive de Paganini, uma segunda corda arrebentou e, logo a seguir, uma terceira. A apresentação parecia ter se transformado em uma comédia. Diante de uma plateia boquiaberta, Paganini segurava seu violino *Stradivarius* com as cordas penduradas. Ao invés de abandonar o palco para consertar o instrumento, ele permaneceu firme. Completou calmamente a difícil composição com a única corda restante – uma apresentação que ganhou aplausos, admiração e fama permanente.

Os grandes se recusam a ser vitimados pelas circunstâncias. Ao contrário, utilizam os eventos traumatizantes como trampolim para uma atitude útil e criativa em relação à vida.

Lembre-se: o melhor que você tem a oferecer pode ser uma apresentação sob circunstâncias difíceis e inusitadas!

O segredo do sucesso deve ser igual a um pato – sereno e tranquilo na superfície, mas movimentando-se freneticamente por baixo da água.

"Esqueça os tempos de aflição, mas nunca esqueça o que eles lhe ensinaram."

HERBERT GASSER

É um Dia Ruim Quando...

"Ser derrotado é apenas uma condição temporária. Desistir é que a faz permanente."

MARYLIN VOS SAVANT

Você sabe que o dia será ruim quando faz um telefonema e é mal atendido. Você pode dizer que vai ser um dia ruim quando liga a televisão e ouve no noticiário que eles estão mostrando rotas de emergência para saída de sua cidade. Você pode dizer que vai ser um dia ruim quando a buzina do seu carro se liga acidentalmente e permanece tocando enquanto você segue um grupo de motoqueiros mal encarados na estrada. Você já teve um dia assim? Você já viveu um daqueles dias que começam mal e só tendem a piorar à medida que as horas passam? Ouvi recentemente uma história que me fez lembrar (como se eu precisasse lembrar) de como um dia assim acontece.

FÊNIX - Renascendo das Cinzas

O livro do ano de 1982 da *Enciclopédia Britânica* conta a respeito de um homem chamado Brian Heise, sob o título "Acontecimentos estranhos ou incomuns".

Brian Heise teve mais acontecimentos inesperados do que de costume no mês de julho, a maioria foi ruim. Quando seu apartamento em Provo, Utah, foi inundado por causa de um encanamento que estourou no apartamento de cima, o síndico mandou que fosse comprar um aspirador de água. Então ele descobriu que seu carro estava com um pneu furado. Ele o trocou, então entrou de novo para telefonar a um amigo pedindo ajuda. O choque elétrico que tomou do telefone o assustou tanto que inadvertidamente arrancou o aparelho da parede. Antes de sair do apartamento, pela segunda vez, um vizinho precisou abrir a porta com um pontapé porque a água havia emperrado. Enquanto tudo isso estava ocorrendo, alguém roubou o carro de Heise, mas estava quase sem combustível. Encontrou-o a alguns quarteirões adiante, mas precisou empurrá-lo até o posto de gasolina, onde encheu o tanque. Naquela noite Heise assistiu uma cerimônia militar na Universidade Brigham Young. Ele se feriu gravemente quando, não se sabe como, sentou em cima de sua baioneta, que havia sido jogada no banco da frente do seu carro. Os médicos conseguiram costurar o corte, mas ninguém conseguiu ressuscitar quatro dos canários de Heise que foram esmagados por pedaços de reboco que haviam caído. Depois que Heise escorregou no carpete molhado e machucou seriamente a coluna, começou a imaginar: "Deus queria me matar, mas não estava conseguindo".

É possível que você tenha tido um mau dia assim recentemente. Se teve, saber que não é o único pode ajudá-lo um pouco.

Na verdade encontro pessoas que têm problemas enormes e ainda assim parecem estar assobiando, agindo como se nada tivesse acontecendo. E encontro outras pessoas que têm problemas relativamente pequenos e que ficam arrasadas por causa deles. Concluí que o seu problema realmente não é o seu problema.

É algo triste quando as pessoas não podem desfrutar dos problemas da vida. É triste quando você levanta de manhã e percebe que o dia vai ser ruim porque vai trabalhar num lugar onde há problemas com os quais você não quer lidar. É triste quando você começa a procurar por um escape ao invés de um desafio.

Desenvolvemos uma sociedade, na qual as pessoas gostariam de optar pela saída fácil, ou seja, nos tornamos uma cultura da síndrome do alívio. Este tipo de sociedade não é um bom campo para forjar um vencedor. Aqueles que estão dispostos a pagar o preço vão conseguir, e o mundo se sentará e se perguntará por que estes homens e mulheres bem-sucedidos tiveram tanta sorte. Sorte não tem nada a ver com isso; eles estão dispostos a fazer o que o resto estava: enfrentar com coragem e ousadia os dias ruins.

"Você pode se queixar porque a rosa tem espinhos ou se alegrar porque os espinhos têm rosas."

TOM WILSON

O Voo da Mamangaba

"A audácia é uma das qualidades mais preciosas do ser humano. Se lhe falta isso, ele nunca irá muito longe."

DR. ALEXIS CARREL, MÉDICO FRANCÊS.

No início do século XX a ciência declarou as mamangabas aerodinamicamente incapazes de voar. O peso do seu corpo em relação à envergadura de suas asas é desproporcional, explicaram, então, que as mamangabas não estavam habilitadas para voar.

Contudo, a despeito do que a ciência afirmou, as mamangabas podem voar. O voo é o modo mais eficiente que as abelhas e seus semelhantes têm para ir das colmeias até as flores mais próximas, apanhar néctar e voltar. E o fazem. Por sorte as mamangabas não leem revistas de ciência; se o fizessem nunca mais se atreveriam a sair do chão.

Isso nos leva a crer que vale a pena questionar algumas supostas verdades, ainda que muitas vezes nos tornemos vítimas de desprezo e incompreensão.

No começo do século XVI, o astrônomo Nicolau Copérnico virou o mundo científico de pernas para o ar. Até

FÊNIX - Renascendo das Cinzas

aquele momento havia prevalecido a teoria do Universo geocêntrico de Ptolomeu. Copérnico alterou tudo ao anunciar que o Universo era, de fato, heliocêntrico, isto é, que todos os astros e planetas giravam ao redor do Sol. De repente a Terra tornou-se, nada mais nada menos, do que um planeta girando ao redor de uma bola de fogo. A teoria de Copérnico abalava 2 mil anos de tradição científica e utilizava a matemática para provar que todos estavam errados. O modelo heliocêntrico explicava com sucesso irregularidades astronômicas, e hoje em dia é uma verdade absoluta. Mas Copérnico arriscou-se ao ridículo, ao ostracismo e até mesmo à morte para divulgá-lo.

Através dos séculos outros também enfrentaram a tempestade de desafiar o pensamento tradicional e a verdade absoluta da época. Cristóvão Colombo, Sir Isaac Newton, Charles Darwin, Albert Einstein, Pablo Picasso, Wolfgang Amadeus Mozart foram alguns deles.

Lembro-me da história de Kierkegaard sobre o viajante solitário que chegou à vila nas terras altas e viu que a estrada à frente estava bloqueada por uma montanha. Cansado e desanimado, ele sentou-se e esperou que a montanha se movesse. Anos depois, ele continuava esperando, sentado no mesmo lugar, idoso e decrépito. A essência da mensagem de Kierkegaard é que os céus não movem montanhas. Nós é que precisamos escalá-las ou encontrar uma trilha que as contorne. Se esperarmos pela montanha mover-se ou abordá-la da mesma forma que os outros sempre fizeram, estaremos perdidos, mesmo se não o percebermos.

De vez em quando precisamos de algo mais: a disposição para questionar as temporárias verdades absolutas ou simplesmente ignorá-las como faz a mamangaba. Ela simplesmente voa.

Durante boa parte da vida, repetimos antigos hábitos e reações. Partes de nossa rotina diárias são repetidas milhares de vezes. Fazemos sem questionar se poderíamos fazer melhor... E assim negamos o melhor de nós mesmos, de nossos talentos e potencialidades, de nossa criatividade. Portanto, "agite" sempre, altere a rotina. Questione verdades. Mude hábitos antigos. Vire mais uma página. Cultive o espírito de ter esperanças, olhe para cima, para fora e para frente. Voe, cercas não foram feitas para quem tem asas.

"A história nos ensina que o homem não teria alcançado o possível se, muitas vezes, não tivesse tentado o impossível."

MAX WEBER

O Despertar do Tigre

"Sabemos muito pouco o que nós somos e menos ainda o que podemos ser."

LORD BYRON

Uma divertida fábula indiana sobre os bichos conta que uma tigresa, grávida e faminta, ao se aproximar de um pequeno rebanho de cabras o ataca com tamanha energia, provocando o nascimento prematuro de seu bebê e sua própria morte. As cabras espalharam-se, e quando voltaram para seu local de posto, encontraram o tigrinho recém-nascido e sua mãe morta. Com fortes instintos maternais, as cabras adotam o tigre e ele cresce pensando que é uma cabra. Ele aprende a balir. Ele aprende a comer grama. E como a grama não fornece a melhor das nutrições para ele, o tigre torna-se um exemplar bem miserável da sua espécie.

Quando o jovem tigre chega à adolescência, um grande tigre macho aproxima-se da cabrada, que se dispersa, mas o pequenino é um tigre e fica por lá. O grande olha espantado para ele e diz: "Você está morando com essas cabras?" "Mééééé", responde o tigrinho. O adulto fica desgostoso, e, algumas vezes, o chacoalha de um lado para o outro e o tigrinho responde com seus tolos balidos, e começa a beliscar a grama.

O tigre adulto leva o tigrinho até uma lagoa, e este, pela primeira vez, olha para a lagoa e vê sua própria face. O tigre adulto fica próximo dele e diz: "Está vendo, sua face é como a minha. Você não é um bode. Você é um tigre, como eu. Seja como eu".

O pequenino entende a mensagem. Eles se levantam e vão até o covil do tigre, onde se acham os restos de uma gazela recém-dilacerada. Com um naco dessa coisa ensanguentada, o tigre adulto diz: "Abra a boca". O pequeno recua: "Sou vegetariano". "Que bobagem", diz o grandão, que enfia um pedaço de carne pela garganta do pequeno. Ele se engasga, mas, mesmo engasgado, ele recebe em seu sangue, em seu organismo a alimentação apropriada para ele. Ele experimenta sua verdadeira natureza.

Espontaneamente, ele se espreguiça como um tigre pela primeira vez e um pequeno rugido de tigre é ouvido.

O adulto diz: "Muito bem. Agora você entendeu. Vamos para a floresta atrás de comida de tigre".

É evidente que a moral é que somos todos tigres que vivem como cabras.

O tigre, nesta história, representa nossa verdadeira identidade como seres de poder e potencial ilimitados. A cabra representa aquela parte da nossa mente limitada pelo medo, contida dentro dos condicionamentos que os outros nos sugeriram e com os quais concordamos.

Assim como o tigre, estivemos sofrendo de um problema de identidade equivocada. Sucumbimos a uma espécie de amnésia espiritual em que nos esquecemos de nossa origem e de nossa natureza de filhos de Deus. Esse esquecimento não pode eliminar nossa identidade, mas certamente pode nos levar a agir de modo medíocre. Não podemos continuar com corpo de tigre e coração de cabra.

Você é uma cabra ou um tigre? Você nasceu para balir ou rugir?

Nessa resposta reside seu destino.

"No outro lado de cada medo está a liberdade."

MARILYN FERGUSON

Viva a Plenitude do seu Potencial

"O que você tem feito é apenas uma mera fração do que você é."

D. C. LUZ

Muitos se perguntam hoje em dia o que é a vida. La Bruyére afirma: "Existem apenas três eventos na vida do ser humano: nascimento, vida e morte; e ele não tem consciência de ter nascido, morre em aflição e se esquece de viver".

Alguns veem a vida em um misto de realismo e pessimismo, como Nietzsche: "Ama a vida, enfrenta-a, porque, boa ou má, não temos outra". Outros são práticos em relação à vida, como Sêneca: "Considerada em si mesma, a vida não é boa, nem má; ela é tão-somente um lugar para o bem ou para o mal". Outros são espirituais, como Goethe: "O dom mais excelente que recebemos de Deus e da natureza é a vida".

Tenho a impressão que a maioria das pessoas simplesmente deixa que a vida passe por elas. Mas também sei que existem algumas pessoas – muito poucas – que decidem o que vai acontecer em suas vidas. Sabem que apenas viver não é suficiente! E vivem o máximo.

Cada um de nós tem a oportunidade de procurar viver em toda plenitude. A questão é: Será que vamos optar por este caminho?

Uma das maiores tragédias na vida é ver o potencial morrer represado. Uma tragédia maior é ver o potencial viver sem ser liberado. Como é triste saber que a maioria das pessoas nunca descobrirá quem elas são realmente, enquanto outras se acomodarão com apenas uma porção de si mesmas.

Viver em plenitude é um desafio para nós, porque muito do nosso ambiente não conduz a este propósito. Em todas as sociedades há tradições, normas, expectativas sociais, costumes e sistemas de valores que impactam, moldam, suprimem, controlam e, em alguns casos, oprimem os dons, talentos e capacidades naturais, bem como o potencial de seus membros. Este processo começa já no início da vida. Mesmo uma criança recém-nascida recebe mensagens sutis de expectativas comunitárias, dos pais, irmãos e outros membros da família, que, em muitos casos, sufocam e limitam o tremendo potencial da criança.

Em outras palavras, quando acreditamos nas opiniões das pessoas e na sua avaliação de nossa habilidade, estas ideias e opiniões nos aprisionam e, eventualmente, tornam-se uma armadilha que impede e limita a maximização do nosso verdadeiro potencial.

Em suma, a história é sempre feita por indivíduos que ousam desafiar e superam o padrão estabelecido. Por que seguir um caminho se você pode fazer uma trilha? Temos o dever de perguntar a nós mesmos as seguintes questões: Temos nos tornado tudo aquilo de que somos capazes? Temos nos expandido ao máximo? Temos feito o melhor que podemos? Temos utilizado nossos dons, talentos e habilidades até o seu limite?

O potencial que está represado dentro de muitos seres humanos é sufocado, suprimido e perdido para o mundo. Muitas pessoas vivem fazendo o mínimo possível, apenas o suficiente para sobreviver. Elas vivem para andar por aí, não para ir em frente na vida. Elas mantêm o *status* e, em vez de elevar o padrão na vida, fazem somente o que é pedido e esperado.

Que maneira triste e deprimente de se viver! Desafio você a deixar a multidão daqueles que seguem este caminho, e juntar-se aos poucos que se comprometeram a alcançar o seu potencial pleno através do esforço para maximizar suas habilidades. Afinal,

VIVA A PLENITUDE DO SEU POTENCIAL

quem mais pode viver a sua vida senão você? Quem mais pode representar cabalmente você? Alerto você para despertar e compartilhar o seu tesouro com o mundo.

O potencial grita para ser liberado na alma de cada ser humano que entra neste planeta. Cada indivíduo é uma arca de tesouro vivo. Cada pessoa chega como um novo produto de um fabricante, equipado para desempenhar e realizar todas as exigências colocadas nele pelo Criador.

Como tenho afirmado em meus textos anteriores, o lugar mais rico neste planeta não são minas de ouro, minas de diamantes, poços de petróleo ou minas de prata, mas o cemitério. Por quê? Porque estão sepultados nos túmulos os sonhos e visões que nunca foram realizados, os livros que nunca foram escritos, as telas que nunca foram pintadas, as canções que nunca foram cantadas e as idéias que morreram como idéias. Que tragédia a riqueza do cemitério!

Gostaria de saber quantas milhares, talvez milhões de pessoas, serão mais pobres porque não podem beneficiar-se da tremenda riqueza da medida do seu potencial: os livros que você deixou de escrever, as canções que deixou de compor ou as invenções que continua a adiar. Talvez haja milhões que necessitam do negócio que você ainda vai iniciar. Você deve maximizar a sua vida para o bem do futuro.

Há uma pequena cidade no interior de Minas Gerais que se tornou famosa em virtude de um escultor que havia perdido as duas mãos por causa da lepra. Ainda jovem e acometido por esta terrível doença, ele costumava sentar-se e observar, durante horas, o pai trabalhando na sua oficina de entalhar madeira. Um dia, o homem decidiu treinar ele mesmo entalhar e esculpir madeira com os pés e as partes dos braços que ainda não havia perdido para a lepra.

O espírito vivaz deste jovem liberou o seu potencial, até então, preso e a sua obra mostrou que represado dentro deste aleijado estava um dos maiores artistas do mundo. É com espanto que os turistas que visitam a antiga região do ouro em Minas Gerais admiram sua obra.

Meus olhos encheram-se de lágrimas à medida que pesquisava a história deste grande escultor mutilado: Antônio Francisco Lisboa, o aleijadinho. Não pude deixar de pensar nos milhões de pessoas que possuem mãos, braços e pés em perfeita condição de funcionamento, mas fracassam em deixar algo a sua geração. Este escultor é uma prova e testemunho de que, no fundo de cada um de nós, existe o potencial que pode ser maximizado se desejarmos ir além dos nossos temores, superar os padrões e opiniões da sociedade, saltar as barreiras fabricadas do preconceito e desafiar os que dizem não. Não existe obstáculo exceto aquele de nossas mentes. Não há limite no nosso potencial exceto aquele que a pessoa impõe a si mesma. É essencial que você enfrente esta questão, porque ela está relacionada a sua realização pessoal e a sua contribuição à humanidade.

Não escolha limitar ou conter o seu potencial. Faço um apelo para que você se liberte dos seus temores temporários, acorde e volte de novo para a estrada para ser e tornar-se você mesmo. Você está equipado com tudo que precisa para fazer tudo o que deve ser feito. Contudo, não compete a Deus liberar o seu potencial, mas sim a você. Você determina o grau em que o seu destino é realizado. Você determina a medida do seu próprio sucesso.

Temos a responsabilidade de revelar o tesouro que está escondido dentro de cada um de nós. Assuma a decisão de não se satisfazer com nada menos do que a plena realização do seu ideal. A responsabilidade para utilizar o que Deus armazenou dentro de você é toda sua. Comece já!

"O impossível, em geral, é o que não se tentou."

JIM GOODWIN

O que Está Dentro?

"Nós lemos o mundo errado e dizemos que ele nos decepciona."

TAGORE

Há muito, muito tempo, em uma terra distante, havia um Buda dourado. Este ser magnífico era feito de toneladas de ouro puro e tinha a altura de dez homens. O grande Buda estava serenamente sentado na postura de lótus no jardim de um mosteiro, construído no alto de uma encosta que delimitava uma pacífica cidadezinha. Nesse local tão tranquilo, eram muitos os peregrinos espirituais que permaneciam sentados, meditando aos pés do Buda dourado, contemplando as profundezas do próprio ser.

Um dia chegou ao mosteiro a notícia de que um exército inimigo, de uma cidade vizinha, estava a caminho para invadir o local. Essa informação perturbou os monges, pois eles sabiam que se aquele exército descobrisse o Buda dourado, ele seria pro-

FÊNIX - Renascendo das Cinzas

fanado e destruído. Apressadamente, os monges reuniram-se para tentar encontrar uma maneira de salvá-lo. Depois de examinarem muitas ideias, um monge propôs que se disfarçasse o Buda. "Vamos cobri-lo com lama, pedras e argamassa", sugeriu ele. "Então os invasores vão acreditar que a estátua é só uma escultura de pedra". A ideia foi aprovada por unanimidade, e o projeto teve início.

Os monges trabalharam com afinco durante toda à noite. Iluminados pelo místico fulgor das tochas incandescentes, todos os monges, jovens e idosos, ofereceram orações e somaram forças para salvar o Buda. Finalmente, quando começava a despontar o dia no céu oriental, a última camada de concreto foi despejada sobre a cabeça do Buda. O grande deus de ouro tinha se transformado em uma estátua de cimento.

E foi bom que os monges tivessem trabalhado com tanto zelo, pois mais tarde, nesse mesmo dia, os pesados passos e o ranger das rodas do exército guerreiro invasor se fizeram ouvir na entrada da cidade. Os soldados escalaram a colina onde ficava o mosteiro e enfileiraram-se ao longo do templo.

Os monges ansiosos espreitavam a procissão, orando com todo fervor para que nem uma centelha de ouro brilhasse em meio ao revestimento que disfarçava o Buda. O exército passou, e os soldados mal olharam para trás. Os monges deram um profundo suspiro de alívio – o plano tinha dado certo. O Buda passara desapercebido. Assim, os monges retornaram as suas atividades.

Passaram-se os anos, e depois de muito tempo o exército invasor abandonou a aldeia. Nessa ocasião, porém, todos os monges que tinham recoberto o Buda já tinham falecido ou saído do mosteiro. Na verdade, não restava na cidade ninguém para lembrar que a verdadeira natureza do Buda era de ouro. Todos os que estavam no mosteiro acreditavam que ele tinha sido feito de pedra.

Certo dia, um jovem monge estava meditando sobre a perna do Buda, e ao erguer-se, ao fim das preces, observou que um pedacinho de concreto despregou-se, caindo no chão. Surpreso, o monge notou que algo brilhava embaixo da pedra. Tirando os fragmentos, ele descobriu que existia um outro Buda por baixo daquele que todos contemplavam – e era de ouro!

O monge correu até o grande saguão do templo, onde os outros estavam estudando. "Venham imediatamente", ele gritou, "O Buda é de ouro!". Os monges largaram o que estavam fazendo e foram em bando até onde ficava a estátua. Quando viram que o jovem monge estava falando a verdade, voltaram correndo para pegar marretas e cinzéis. Juntos começaram a retirar as pedras e a argamassa que disfarçavam o Buda por tantos anos. Não demorou muito para que todo o disfarce fosse removido, e o Buda dourado devolvido ao seu esplendor original.

A história do Buda dourado é verdadeira. Hoje ele está majestosamente assentado no Templo do Buda Dourado, em Bangcoc, na Tailândia, onde milhares de devotos se colocam a seus pés, encontrando refúgio na natureza áurea que há no interior de si mesmos.

Mas esta história tem um significado mais profundo. Cada um de nós é um porta-joias, uma caixa de tesouros, um vaso de barro repleto de riquezas escondidas. O Criador colocou dentro de cada um de nós um tesouro que deve ser liberado no momento oportuno.

Se eu colocasse um diamante de 100 mil dólares em um saco de papel velho e amassado, e o jogasse na calçada, a maioria das pessoas passaria por cima dele ou iria jogá-lo no lixo. Por quê? Porque normalmente julgamos o que está no interior do saco pelo exterior. É muito mais fácil ver a condição exterior do que o tesouro no interior. Vivemos em uma sociedade que dá maior valor às aparências do que no que as pessoas têm de autêntico. Contudo, a embalagem nem sempre expressa o verdadeiro valor do conteúdo.

O embrulho pode estar amassado, rasgado ou até sujo, mas sua condição não pode, de maneira alguma, depreciar o valor da joia. Podemos achar o saco ridículo ou feio, mas, nem por isso, ele desvaloriza o tesouro que traz dentro. Por quê? Porque o valor é intrínseco e a pedra é preciosa independentemente do que qualquer pessoa possa pensar.

Não cometa o erro de confundir o porta-joias com a joia! Pois é exatamente o erro que muitos de nós cometemos. Olhamos para o que somos externamente.

Podemos esconder quem verdadeiramente nós somos, mas não podemos destruir isso; quer queiramos, quer não, temos de descobrir nosso potencial e viver para ele. Chega o momento em que temos de deixar de lado nossos receios e reafirmar o desejo do nosso coração.

"Não ser ninguém mas ser você mesmo, num mundo que está fazendo o máximo para fazer de você outra pessoa, é lutar a batalha mais dura que você terá. Nunca pare de lutar."

E. E. CUMMINGS

Você e seus Hábitos

"O hábito é o melhor dos servos
e o pior dos senhores."

J. JELMEK

O despertador toca, fazendo um barulho estridente. Você estica o braço e, automaticamente, aperta o botão "desliga". Com os olhos semiabertos, salta da cama e vai em direção ao banheiro. No meio do caminho, calça o chinelo, pega o robe com a mão esquerda e, ao mesmo tempo, enfia o braço direito na manga. Então, caminha para o banheiro e fecha a porta atrás de si. Com a mão esquerda você segura a escova de dentes e com a mão direita já está segurando a pasta, escova os dentes com movimentos bem determinados.

Depois do banheiro, você caminha para a cozinha e faz o café. Nos próximos 20 minutos veremos uma repetição de mais de 160 pequenas, mas importantes ações, que o preparam para enfrentar o mundo cruel lá fora.

FÊNIX - Renascendo das Cinzas

Sua vida também é governada por padrões habituais. Camada por camada, você vai formando a sua identidade, baseado no que observa, imita e aprende – que é como você se comporta. Repetições aparentemente insignificantes, teias inocentes de observações e crenças transformam-se em padrões, depois em cabos inquebráveis que cercearão ou fortalecerão a sua vida.

O educador americano, Horace Mann, uma vez descreveu dessa forma o hábito: "O hábito é um cabo; nós tecemos um fio a cada dia e, no final, não conseguimos parti-lo".

Você já pensou em seu comportamento? Por acaso já falou consigo mesmo para fazer isso, depois aquilo e então aquilo outro? Claro que não. Essas ações simplesmente ocorrem naturalmente. Você foi programado conforme você fazia cada coisa. Ano após ano elas foram se tornando um hábito. Na verdade, a cada manhã você simplesmente liga o piloto automático e começa a funcionar.

Alguns hábitos são benéficos, outros prejudiciais. A tendência é termos os dois tipos. Você tem uma série de hábitos. Talvez não goste de ouvir isso, mas a maioria das coisas que você pensa, diz ou faz vem dos hábitos que você desenvolveu. Os hábitos estão sempre presentes, quer você tenha consciência deles, quer não. Você tende a praticar o que aprendeu e se torna isso.

Tudo aquilo que você faz diversas vezes torna-se um hábito. Você fica bom naquilo que pratica. Porém, nem todos os hábitos nos são úteis, e os maus hábitos podem se tornar "senhores" cruéis que sabotam o nosso bem-estar. Fumo, bebida e uso de drogas podem rapidamente se desenvolver em hábitos que arruínam nossa saúde e nosso relacionamento com os outros. Além dos perigos das drogas que geram dependência, existem hábitos bem mais sutis que podem ser tão perniciosos quanto estes para o nosso desenvolvimento em direção ao sucesso.

O hábito do pensamento negativo a nosso respeito e a respeito das nossas oportunidades é tão autodestrutivo como o hábito de divagar, em vez de se concentrar no trabalho. O ato de ficar adiando as coisas é um hábito insidioso e autodestrutivo que já arruinou muitas vidas.

Quando um padrão de comportamento se torna um hábito, ele se torna tão familiar que fica parecendo parte de nós, mas, de fato, os hábitos são aprendidos e praticados. Assim, como os aprendemos, podemos esquecê-los. Através da observação de si próprio, você pode se tornar consciente daquilo que lhe faz mal, no seu hábito de agir e de pensar. Quando você estiver consciente do hábito que quer modificar, poderá esquecê-lo e substituí-lo por um comportamento automático diferente e mais cuidadoso.

No romance de Júlio Verne, *A ilha misteriosa*, ele conta a história de cinco homens que escapam de uma prisão da guerra civil, utilizando um balão. Ao ascenderem, eles percebem que o vento os estava levando para o oceano. Vendo sua pátria desaparecer no horizonte, eles imaginam quanto tempo o balão ficará no ar. Com o passar das horas, a superfície do oceano fica cada vez mais próxima, e os homens decidem que precisam jogar fora um pouco de peso, pois não têm como aquecer o ar no balão. Botas, casacos e armas são descartados com relutância, e os tripulantes amedrontados sentem o balão subir. Porém, não passa muito tempo e se encontram perigosamente próximos das ondas novamente. Então, lançam fora sua comida. Infelizmente, essa também é uma solução temporária, e a embarcação novamente ameaça levar os homens ao mar. Um homem tem uma ideia: amarrar as cordas que seguram a cesta, sentarem-se nelas e se livrarem da cesta. Ao fazerem isso, o balão sobe de novo. Finalmente, eles avistam terra. Os cinco mergulham na água e nadam em direção à ilha. Eles estão vivos porque souberam discernir a diferença entre o que era realmente necessário e o que não era.

Por que não fazer uma honesta avaliação das coisas que o estão atrapalhando hoje? Como seria sua vida sem elas? Então, com convicção, corrija seu comportamento e seja o senhor dos seus hábitos para que eles possam lhe ser bons servos.

> "A coisa infeliz sobre esse mundo é que os bons hábitos são muito mais fáceis de desistir do que os maus."
>
> W. SOMERSET MAUGHAM

Acostumar-se

"O bom não é bom onde o ótimo é esperado."

THOMAS FULLER

Estou a apenas cinco passos da águia. Suas asas estão abertas, e suas garras, levantadas acima do galho. Penas brancas cobrem-lhe a cabeça, e seus olhos perscrutam-me de ambos os lados de um bico vigoroso. Está tão próxima que posso tocá-la. Tão perto que posso acariciá-la. Basta inclinar-me e esticar o braço direito, e posso cobrir com a mão a crista da águia. Mas não o faço. Não me aproximo. Por que não? Estou com medo dela?

Dificilmente. Ela não tem se movido nos últimos cinco anos. A princípio, quando abri a caixa, ela impressionou-me. Quando a coloquei na estante pela primeira vez, admirei-a. Águias artificiais são bonitas por algum tempo, mas logo você se acostuma com elas.

Acostumar-se! Quão grave é isso? Penso que todos que conhecem, em si próprios ou nas pessoas com quem trabalha, aquela experiência de o coração se endurecer, de a compaixão ceder lugar à apatia e à indiferença. É o caso do sacerdote que

FÊNIX - Renascendo das Cinzas

em um ano levou oitenta pessoas à sepultura, e que fala com naturalidade que "teve oitenta cadáveres" este ano. Ou da enfermeira, que fala apenas do "canceroso do leito cinco". Médicos, que todos os dias entram em contato com a suprema miséria humana, com a luta entre a vida e a morte, facilmente se embrutecem. Como não encontraram uma maneira de encarar de frente esta realidade, muitas vezes não lhes resta outra saída senão a ironia e o sarcasmo. O resultado é que o coração se torna cada vez mais cerrado.

Acostumar-se é simples, inicialmente alguma coisa parece insuportável. Com o passar do tempo talvez acostumamos e já não a consideramos assim tão grave; não demora muito, e ela passa a parecer aceitável.

Você já pensou em seus comportamentos? Por acaso já falou consigo mesmo para não se acostumar com uma outra situação? Claro que não!

Essas ações simplesmente ocorrem naturalmente. Você foi programado. Conforme você fazia cada coisa ou deparava-se com situações dia após dia, elas foram se tornando um costume.

Sua vida também é governada por padrões habituais, *nossos costumes*. Camada por camada, você vai formando a sua identidade baseado no que observa, imita e aprende – que é como você se comporta. Repetições aparentemente insignificantes, teias inocentes de observação e crenças transformam-se em padrões, depois em cabos inquebráveis que cercearão ou fortalecerão a sua vida.

Quando um padrão de comportamento se torna um hábito, ele se torna tão familiar que fica parecendo parte de nós, mas, de fato, os hábitos são aprendidos e praticados. Assim como os aprendemos, podemos esquecê-los. Através da observação de si próprio, você pode se tornar consciente daquilo a que se acostumou e lhe faz mal, na sua maneira de agir e de pensar.

Quando você estiver consciente do hábito ou do costume que quer modificar, poderá esquecê-lo e substituí-lo por um comportamento diferente e mais saudável. Você pode cometer erros e escorregar de volta para velhos padrões, mas o importante é que não desista. Corrija seu comportamento tão logo perceba que voltou para um velho hábito.

Volto a olhar para a águia, e a vejo não como me acostumei a vê-la nos últimos anos, como uma bonita e elegante escultura de pedra, mas como um símbolo de força, caráter, determinação e visão. Compreendo o quanto é ruim acostumar-se com um baixo padrão. É gosto pervertido acostumar-se com a mediocridade quando o ótimo está ao nosso alcance.

"A caixa cerebral dos homens rotineiros é um estojo de joias vazio."

JOSÉ INGINIEROS

Seja um Finalizador

"Nada é mais exaustivo do que a eterna pendência de uma tarefa incompleta."

WILLIAM JAMES

Eu peguei meu dicionário na prateleira e procurei a palavra "completo". Lá está escrito "a quem não falta nada do que pode ou deve ter; preenchido, finalizado, concluído".

Como isso nos condena! Poucos são aqueles que terminam o que começaram – e fazem o trabalho completo. Eu não estou me referindo a um fanatismo neurótico extremado, impraticável e desbalanceada preocupação somente com os detalhes. Estou falando sobre a rara, mas maravilhosa experiência de carregar uma responsabilidade até o término. Listarei algumas:

1. **Um curso na escola**. Fazendo o seu melhor para atingir o ápice de sua capacidade, pelo prazer da total realização.

2. **Um projeto em casa**. Fazendo um plano e atacando a tarefa com toda energia, com um único objetivo: fazer o serviço direito.

FÊNIX - Renascendo das Cinzas

3. **No trabalho**. A fina arte de trabalhar está perdida nos dias de hoje – realmente chegar lá e estudar o serviço, lendo e expandindo seu conhecimento. Tornan-do-se um especialista em sua área, pelo simples prazer da realização!

4. **Tarefas diárias**. Existe um sinal indicativo de "incompleto" escrito em seus trabalhos domésticos? É sua marca registrada o "Amanhã"; ou o clichê "Tenho de arrumar isso qualquer hora".

Por que não fazer tudo de uma vez e se recusar a desistir até que a tarefa esteja completa? Por que não prender a respiração e mergulhar naquele trabalho desagradável com uma determinação renovada de escrever "terminado" nele?

Do que você se lembra mais – das tarefas que terminou ou daquelas que ainda estão por fazer? A maioria das pessoas responde imediatamente: "Eu me lembro mais das coisas que deixei por fazer". A esta lembrança eu chamo de "peso na consciência".

Deixar de fazer um progresso significativo ao cumprir uma obrigação é a causa de muita frustração, *stress* e decepção. Somente uma obsessão por terminar o que tem de ser feito pode anular os resultados e sentimentos negativos associados a tarefas incompletas.

Recentemente eu estava ministrando uma palestra sobre motivação e durante o intervalo um homem de estatura baixa, que parecia ter cerca de 40 anos, veio conversar comigo: "Meu problema", ele disse, "é que nunca consigo terminar nada. Estou sempre começando as coisas, esse ou aquele projeto, mas nunca termino. Sempre estou envolvido com alguma coisa antes de completar qualquer outra". Ele me perguntou se eu poderia lhe dar algumas frases afirmativas que pudessem alterar seu sistema de motivação. Ele viu, corretamente, o problema como uma questão de motivação. Por não acreditar que era um bom finalizador, não terminava nada. Perdia o interesse na tarefa e a deixava inacabada.

"Você acha que o que precisa são afirmações?", perguntei-lhe. "Se você tivesse de aprender a utilizar um computador, conseguiria fazer isso sentando-se em seu sofá e repetindo as frases: "Eu sei utilizar um computador. Sou um especialista em computadores. Sou um mestre em computadores?".

O rapaz admitiu que afirmações positivas provavelmente não fariam efeito em sua capacidade de utilizar o computador. "Portanto, eu disse, a melhor maneira de mudar o seu sistema, a sua motivação é modificando sua maneira de agir".

Reexamine suas tarefas e obrigações pendentes, a pilha de livros não lidos, o regime interrompido, a correspondência que aguarda resposta, os *e-mails* para responder, a série de exercícios físicos iniciados na academia que o espera por semanas e que você está evitando. Simplifique sua abordagem e planeje a forma de desentulhar sua vida, decidindo-se a levar a sério essas responsabilidades.

Terminar uma tarefa nos dá a satisfação de conseguir um resultado. Você pode retirá-la de sua lista de trabalhos a executar e começar uma nova tarefa. É assim que uma vida de realizações ocorre. William James, o pai da psicologia norte-americana, sugeriu três regras para fazer com que as coisas aconteçam na vida:

1. Comece imediatamente.

2. Faça com entusiasmo.

3. Não abra exceções.

Mude a maneira de ser, levante-se e fique ativo, gaste as solas dos sapatos e agarre-se a isso com tenacidade inabalável. Saber o que tem de ser feito e então fazê-lo é sair da mediocridade ... e passar para o nível da excelência.

> "...Preciso fazer algo resolverá mais problemas do que algo precisa ser feito..."
>
> GLENN VAN EKEREN

5 25.600

"O amanhã é a coisa mais importante na vida. Chega até nós à meia-noite, limpo. É perfeito quando se coloca em nossas mãos.
Ele espera que tenhamos aprendido algo do ontem."

JOHN WAYNE

Hora das perguntas! Você sabe quantos minutos e segundos tem um dia? Uma semana? E um ano? Pergunta estranha? Sim e não.

Há 525.600 minutos em um ano. Eu, você e qualquer um neste planeta recebemos diariamente um presente inestimável. Seu nome é tempo. Cada dia de nossas vidas é presenteado com 24 horas desse artigo intangível, para utilizarmos como nos convier. Quer você seja rico ou pobre, jovem ou velho, esperto ou não, branco, marrom, amarelo ou de bolinhas, todos recebemos a mesma porção diária: 24 horas. É uma divisão igualitária.

Parece que nossa vida gira em torno do tempo, de uma maneira ou de outra. Cada segundo que encapsula sua vida compõe você, desde o pri-

FÊNIX - Renascendo das Cinzas

meiro fôlego até seu último suspiro. Essa ampulheta funciona até seu tempo findar, terminando assim o jogo da vida. Sua vida, afinal, é o resultado total de como você emprega seu tempo.

Muitas pessoas acreditam que existe uma contabilidade quando o jogo termina. Essa contabilidade tabula o resultado do que você fez da sua vida. Você fez parte da solução ou do problema? Minimizou ou exacerbou os desafios? Na contabilidade final, os bens, *status* e saldos bancários não contam. A única coisa relevante é a maneira que você optou para utilizar o tempo que recebeu.

Você tem exatamente o tempo que lhe foi destinado, nem mais, nem menos. Como diz o ditado, "é usá-lo ou perdê-lo". Já que sua vida consiste na soma total das escolhas relativas à utilização do tempo, é lógico que o nível de sucesso que você atinge na vida vai depender diretamente da sensatez com que você utilizou seu tempo.

A maioria de nós pode olhar ao redor e encontrar lembranças de boas intenções. Prontamente, vemos coisas que nunca chegamos a fazer a fim de alcançar um objetivo. Aquela esteira ou bicicleta ergométrica estão empoeiradas. O piano, cujo objetivo era preencher nossos sonhos musicais, permanece silencioso. Os livros empilhados no criado-mudo esperando para serem lidos. Como o tempo perdido não volta jamais, agora é a melhor hora para fazer as coisas que são importantes para você. Como dizia o poeta Horácio, "Aproveite o dia!".

O tempo é valioso como o dinheiro porque é limitado; recebemos uma quantidade finita dele. Se você desperdiça tempo ou perde tempo, estará "quebrado", da mesma forma que estaria gastando, perdendo ou administrando mal suas finanças? O tempo é gratuito, você não tem débito de tempo como tem débitos financeiros. Não pode multiplicá-lo; ele não inflaciona nem deflaciona. Tempo desperdiçado ou perdido pode ser um fator que contribui para preocupação monetária, mas não estará no demonstrativo da sua conta corrente ou do seu inventário.

Se você mata o tempo, é considerado um criminoso? Pode ser preso por utilizar mal este bem intangível? Pelo seu crime pode ser sentenciado? Terá de cumprir menos tempo da pena por bom comportamento? Você pode emprestar horas de amanhã para utilizar hoje, como se pode emprestar dinheiro por conta dos ganhos de amanhã? Pode transferir sua mesada de tempo, dizendo, "farei isso quando tiver mais tempo". Você nunca terá mais tempo. Tempo não é como dinheiro; o tempo é mais ardiloso e mais precioso que o dinheiro. O tempo só pode ser gasto, e, uma vez gasto, não pode, nunca, ser recobrado.

O tempo é como o concreto que vai girando no misturador. O concreto é somente um potencial, até que o operário abra o reservatório e o coloque em uma fôrma para que ele tenha alguma utilidade. O tempo desperdiçado é como o concreto que nunca é utilizado, ou que é retirado mas não é colocado na fôrma. Só conseguimos crescer se aprendermos a moldar nossas vidas dentro dos limites do tempo, porque é somente utilizando adequadamente o tempo que conseguimos ter controle sobre nós mesmos.

Um dos melhores métodos para dar fôrma ao nosso tempo é estabelecer metas a longo e a curto prazo. O que queremos atingir? Que passos devemos dar hoje para preencher o objetivo de amanhã? Use cada minuto porque, se não o fizer, você irá perdê-lo. E o tempo que perder hoje será perdido para sempre.

"Planos são sonhos com data para se realizar."

MICHEL LÉVINE

Saindo do Atoleiro

"Desafie-se, acima de tudo. Talvez você se surpreenda com seus pontos fortes e com o que você pode realizar."

CECILE M. SPRINGER

Com frequência, começo meu seminário "Sucesso em tempo mudanças" com a experiência a seguir Espero todas as pessoas se sentarem confortavelmente. Depois digo-lhes para pegarem seus pertences e encontrar outro lugar para sentar-se. Você não imagina os resmungos que ouço e os olhares irritados do qual sou alvo. Mas, depois de alguns momentos de hesitação, a maioria delas se levanta. Então, eu digo: "Parem, vocês podem ficar onde estão". Todos deixam-se cair em seus assentos com um grande suspiro de alívio.

A seguir, faço esta pergunta: "Obviamente muitos de vocês ficaram aborrecidos quando eu lhes disse para trocar de lugar. Por quê?". Algumas pessoas dizem que estavam confortáveis e não queriam fazer isso. Outras dizem que gostam de se sentar perto de seus amigos. Algumas salientam que podem ver melhor de onde estão. Umas poucas dizem que não gostam que alguém lhes diga onde devem se sentar. A maioria concorda em que poderia trocar de lugar se fosse necessário. Também diz que quanto mais perto o novo assento fosse do original, mais fácil seria fazer a mudança.

Então pergunto: "Se uma pequena mudança, como sentar em um lugar diferente na mesma sala lhes causa tanto desconforto, como se sentiriam com uma grande mudança?". Todos riem e entendem o que quero dizer: se fazer pequenas mudanças é problemático, fazer uma grande mudança parece ser impossível.

A maioria de nós deseja obter sucesso em sua vida pessoal, profissional e familiar, e, frequentemente, não quer ou não consegue fazer as mudanças necessárias para atingir seus objetivos.

Muitas vezes as pessoas ficam presas em suas teias de insatisfação. Elas reclamam da vida que estão vivendo, no entanto, não fazem nada para modificar isso. Todos nós conhecemos alguém que sinceramente acredita que não há nada a fazer para melhorar sua situação. Essas pessoas dizem coisas como "é tarde demais para recomeçar", ou "já não tenho mais idade para isso". Elas podem não saber conscientemente, mas mergulharam em um atoleiro de negatividade, cercado de barreiras construídas pela familiaridade e pelo conforto.

Você sabe quando tem uma sensação de aperto por dentro. Da mesma forma, você sabe quando está apenas deixando o tempo passar – o dia, a semana, o mês, o trimestre. Você sabe quando sente que falta alguma coisa na sua vida. Quando a consciência dessa sensação aflora, você só tem duas opções: pode tentar ignorá-la e insistir no seu sofrimento, ou pode modificar as coisas.

A vida é o que se faz com ela. Poucas pessoas se dão conta deste fato e a maioria fica presa em uma rotina com poucos atrativos que, em geral, dura anos e anos e, na maior parte das vezes, dura toda vida.

As rotinas podem até ser cômodas, mas inibem e restringem. Você se encontra em uma situação semelhante? Pergunte a si mesmo: Qual foi o progresso que fez nos últimos cinco anos? E nos últimos dez? Se alcançou pouco ou nada, terá de introduzir mudanças que melhorem suas possibilidades de sucesso no futuro.

O elemento principal do qual você precisa para sair do atoleiro da zona de conforto é a disposição. Sem a disposição para melhorar sua situação, você não pode reunir a energia e a criatividade de que vai precisar para modificar a vida.

A pessoa que você será no futuro depende do tipo de mudança que você fará agora. Você está disposto a mudar para melhor, ou prefere ficar onde está? Lembre-se de que só cabe a você o que você quer da sua vida.

"A dificuldade reside não nas novas ideias, mas em escapar das velhas ideias."

JOHN MAYNARD KEYNES

Mudar? Nunca!

"Onde você estará daqui a dez anos se continuar indo na direção atual?"

NAPOLEON HILL

Viktor Frankl, o famoso psiquiatra vienense, disse que a coisa mais importante que a psicologia pode e deve fazer é impressionar-nos com nossos próprios poderes, principalmente nosso poder de mudar e crescer.

Eu resisto à mudança. E você? Não há problema em admitir isso. Eu e você estamos confortáveis em nossa rotina. Isso não quer dizer que não possamos mudar: simplesmente não estamos dispostos a fazê-lo. Nem todas as mudanças são ruins. Nós simplesmente não queremos sair de nossa zona de conforto para experimentá-las.

A coisa que mais me entristece ouvir outra pessoa dizer é: "É assim que eu sou. Eu sou assim desde pequeno, sou agora, e sempre serei". Tenho vontade de protestar: "Oh, não, por favor, não diga isso. Nem pense uma coisa dessas". Acredito na mudança com todos os músculos, fibras e células de meu ser. Todos somos capazes de mudar.

Permanecer na zona de conforto significa não se esforçar, não mudar, não arriscar fazer uma viagem através de águas desconhecidas. Mas isso só funciona enquanto você não acorda e vê o que está perdendo: a excitação de soltar as amarras, de aceitar apenas o que realmente o faz feliz. O grau de risco que você assume determina o grau de excitação que experimenta. Não estou me referindo a riscos ridículos, como dirigir o carro na contramão. Falo de riscos produtivos que o fazem chegar mais perto daquilo que de fato quer, que o faz crescer.

Felizmente nem tudo está perdido!

Há esperanças!

O crescimento entendido como um processo permanente de desenvolvimento e aprimoramento dos potenciais e das habilidades adquiridas é a alternativa para quem deseja reverter situações adversas e prosperar.

Entretanto, é comum fazer-se uma pergunta a respeito do crescimento pessoal: Qual a razão maior para a acomodação e a letargia. A resposta, para ir direto ao ponto, pode ser encontrada na analogia com o bonsai. Delicada e de beleza plástica inigualável, a arte do bonsai pacientemente cultivada pelos japoneses, resulta em uma árvore adulta contida em um pequeno vaso, para ser admirada pela pessoa em sua sala de estar. O crescimento limitado do vegetal é determinado por um tratamento detalhado, sendo o espaço de enraizamento o mais importante dos cuidados. O bonsai é pequeno, porque o espaço físico para o crescimento é limitado. Nele, a árvore amadurece, mas não cresce como seria normal se plantada em um amplo terreno.

Crescer é soltar as amarras (à vontade), decidir-se por um ponto a ser alcançado (o objetivo), acelerar os motores e manter firme o curso... para vencer!

A vida recompensa a ação. Entrar em ação para alcançar sua maior meta é uma das coisas mais fantásticas que você pode fazer por si mesmo.

Equivocadamente, muitas pessoas descuidam do seu crescimento, perdendo, a cada dia, valiosas oportunidades de prosperarem. Tornam-se, com efeito, vítimas da própria imprudência e lamentam "a falta de oportunidades" e a sorte.

É corrente na sabedoria popular que "para os fracassos temos justificativas e para o sucesso temos histórias".

Então pare de justificar-se e comece a mudar, arrisque-se e cresça! Hoje é o melhor dia para iniciar as mudanças que deseja. Você pode transformar a sua saúde, sua vida social, seus relacionamentos, seu desempenho no trabalho, sua disposição com relação aos outros, sua situação financeira e suas oportunidades profissionais. Você pode mudar sua vida! Se quiser mudar, tudo se transformará para você. Não tente modificar o que está fora do seu alcance; mude o que está dentro da sua cabeça e do seu coração. No futuro, quando sofrer infortúnios ou adversidades, encare a situação de outra maneira. Não deseje que a sua vida seja mais fácil, decida-se estar intelectualmente melhor equipado para lidar com os altos e baixos por meio do desenvolvimento pessoal. Não deseje menos dificuldades, decida-se a alimentar mais talentos e habilidades para poder sair-se melhor nos novos desafios.

Arrebente a parede do vaso que atrofia suas raízes e o impede de crescer. Adote a mudança, você criará sua própria sorte. É você que controla sua vida e seu destino final. Nada acontecerá na sua vida enquanto você não fizer acontecer; depende de você. São suas decisões e seus atos que dão forma ao seu futuro. Você decide: ser um bonito e delicado bonsai ou um frondoso e forte carvalho.

> "Solte as cordas, deixe o porto seguro. Deixe que os ventos alísios encham suas velas. Explore, sonhe, descubra."
>
> H. JACKSON BROWN

Ceda e Seja a Mudança

"A felicidade que vem de nós mesmos é maior que aquela que obtemos do que nos cerca... O mundo em que o homem vive é moldado, principalmente, pelo modo como ele o vê."

ARTHUR SCHOPENHAUER

Não tente mudar outras pessoas. Isso não funciona. Você irá desperdiçar sua vida tentando.

Uma de minhas histórias favoritas refere-se a um casal de idosos que visitava os netos. Toda tarde o avô deitava-se para tirar uma soneca. Certo dia, em um momento de pura travessura, as crianças decidiram colocar um pouco de queijo no bigode dele. Quando ele acordou, franzindo o nariz, disse: "Ora, este quarto está cheirando mal!", exclamou ao levantar-se para ir à cozinha. Não ficou ali por muito tempo até chegar à conclusão de que a cozinha também estava com o mesmo cheiro, por isso saiu para respirar ar fresco. Para sua grande surpresa, o ar fresco de nada adiantou, e ele disse: "O mundo inteiro está cheirando mal!".

Essa é uma grande verdade. Quando temos "queijo" em nossas atitudes, o mundo todo cheira mal. Nós, como indivíduos, somos responsáveis por nossa visão de mundo. Nossa atitude e ação em relação à vida ajudam a determinar o que nos acontece.

Seria impossível estimar o número de empregos perdidos, de promoções não obtidas, de vendas não feitas e de casamentos destruídos por causa de atitudes medíocres. Entretanto, quase todos os dias, testemunhamos empregos conseguidos, mas odiados e casamentos tolerados, mas infelizes, tudo porque as pessoas esperam a mudança dos outros ou do mundo, em vez de perceber que são responsáveis por seu próprio comportamento.

Muitos de nós passamos tempo demais tentando mudar as pessoas que convivem conosco, quando deveríamos ser a mudança que desejamos ver nos outros.

Há um poema de autor não conhecido, que é uma grande lição sobre como ceder e mudar:

Ceder não significa parar de me preocupar, significa que eu não posso resolver os problemas da outra pessoa.

Ceder não significa isolar-me, significa que não posso controlar a vida da outra pessoa.

Ceder não é tornar as coisas mais fáceis, mas extrair lições das consequências de nossos atos.

Ceder é admitir que tenho limitações, o que significa que o resultado final não depende de mim.

Ceder é não tentar modificar ou culpar outras pessoas; eu só posso modificar a mim mesmo.

Ceder não significa deixar de prestar assistência; significa continuar a demonstrar interesse.

Ceder não é jogar a culpa no outro, mas ter espírito de solidariedade.

Ceder não é julgar, mas admitir que a outra pessoa é um ser humano.

Ceder é não intrometer-se tentando resolver problemas alheios; é permitir que as pessoas encontrem as soluções por conta própria.

Ceder é deixar de ser protetor; é permitir que a outra pessoa enfrente a realidade.

Ceder não é rejeitar, mas aceitar.

Ceder não significa resmungar, censurar ou discutir, significa aceitar as próprias falhas e corrigi-las.

Ceder não significa adaptar tudo conforme meus desejos, mas aceitar cada dia como ele é e apreciar cada momento.

Ceder é não criticar nem controlar o outro, mas tentar me transformar na pessoa que eu gostaria de ser.

Ceder não é arrepender-se do passado, mas adquirir experiência e viver para o futuro.

Ceder é temer menos e amar mais.

Viver é como receber uma por uma as peças de um mosaico ou de um quebra-cabeça. O mosaico é a "realidade". Não vem todo de uma vez em uma caixa com uma bela embalagem. Vem peça por peça em pacotes onde está escrito "dias". Cada dia traz novas peças. Cada nova peça dá sua própria contribuição de um entendimento mais profundo ao quadro completo da realidade.

Juntamos as peças de maneiras diferentes porque cada um de nós percebe a realidade à sua maneira. As qualidades mais necessárias para a construção de uma visão adequada e exata são abertura e flexibilidade. A armadilha a ser evitada é a rigidez.

"Nunca subestime o seu poder de mudar a si mesmo e nunca superestime o seu poder de mudar os outros."

H. JACKSON BROWN

Quebra-cabeça ou Plano Divino?

"Para aqueles que creem, nenhuma explicação é necessária; e para aqueles que não creem, nenhuma explicação é possível."

SANTO INÁCIO DE LOYOLA

Você já montou um quebra-cabeça?

Se você já montou um complicado, sabe três coisas a respeito deles:

- Em primeiro lugar, eles tomam o nosso tempo. Poucas pessoas conseguem encaixar centenas de peças rapidamente. A maioria dos quebra-cabeças complexos e grandes leva vários dias, até mesmo semanas, para ser completados. A diversão está no processo, a satisfação está na realização.

- Em segundo lugar, deve-se começar, geralmente, encontrando as bordas, as peças com um dos lados liso.

- Em terceiro lugar, quebra-cabeças são divertidos de montar sozinho, mas ainda mais divertidos com outras pessoas trabalhando juntas. Quando alguém descobre a peça que faltava ser encaixada, todos desfrutam da diversão.

FÊNIX - Renascendo das Cinzas

Considere o dia à sua frente como uma peça no quebra-cabeça da vida. Certamente, os lados também serão irregulares e as cores, indefiníveis. O significado de hoje, talvez não combine com o de ontem. O que você experimenta hoje, talvez se encaixe em algo que você experimentou meses atrás, ou algo que experimentará no futuro. É bem provável que você não entenda o propósito da sua vida observando apenas um dia. Mesmo assim, você pode ter certeza de que existe um plano e um propósito. Todas as peças vão se encaixar segundo o esquema perfeito de Deus.

Há uma passagem bíblica no Novo Testamento, na qual é afirmado que até os fios de cabelo de nossa cabeça são contados.

Ouvi alguém dizer, com respeito a essa passagem bíblica, que as loiras são as que mais têm cabelos, com 145.000. As morenas vêm em segundo lugar, com 120.000. E as ruivas em último com 90.000. Quem presta atenção em algo tão insignificante?, você pergunta. Deus. Do seu ponto de vista, cada cabelo tem sua própria personalidade, seu número individual. Ele sabe quando o fio de número 587 vem junto na sua escova. Ele vê o número 132.401 quando cai no ralo do chuveiro.

Porque será que ele escolhe saber coisas como essas? Ele simplesmente sabe tudo. Deus está profundamente interessado e preocupado em todos os detalhes da nossa vida, sabe exatamente como encaixar todas as coisas.

Em certos dias encontramos as peças de lado liso no quebra-cabeça da vida – as verdades que se tornam parte da nossa razão de ser. Em outros dias, encontramos peças que se encaixam para que possamos entender mais sobre nós e sobre o modo que Deus cuida de nossas vidas. O principal é deleitar-se no processo. Viva o dia intensamente, com a certeza de que um dia você terá uma visão completa do quadro.

"Você não é um ser humano
em busca de uma experiência espiritual.
Você é um ser espiritual imerso
em uma experiência humana."

PIERRE TEILHARD DE CHARDIN

Ter "de". É uma Opção

"Nada é mais difícil e, portanto, mais precioso do que ser capaz de decidir."

NAPOLEÃO BONAPARTE, IMPERADOR FRANCÊS

Todo o mundo gosta de falar sobre liberdade de escolher. Afinal, esse é um dos princípios básicos sobre os quais a nação brasileira está fundamentada, porém, quase sempre, tendemos a achar que grande parte do que fazemos na vida nos é imposto. Isto é verdade?

Nós temos escolhas, mais escolhas do que nos permitimos ver.

Podemos nos sentir presos em nossos relacionamentos, nossos empregos, nossa vida. Podemos estar trancados em nossos comportamentos quando nos ouvimos dizer: "Tenho que...", "Tenho que comportar-me assim, pensar assim, sentir assim...", podemos ter certeza de que estamos escolhendo não ver as escolhas.

FÊNIX - Renascendo das Cinzas

A sensação de estarmos presos é uma ilusão. Não somos controlados por circunstâncias, por nosso passado, pelas expectativas não saudáveis para com nós mesmos. Podemos escolher o que é bom para nós, sem culpa. Nós temos opções.

Você precisa ir trabalhar, por exemplo? Basicamente, não. Você pode escolher ficar deitado na cama, fingir que está doente ou ir morar com alguém disposto a sustentá-lo. Você pode ganhar abaixo do mínimo para o desconto em folha, tentar enganar a Receita Federal, desistir da sua cidadania, ser preso ou investir em aplicações isentas de impostos que durem até você morrer – depois disso, seus herdeiros pagarão os impostos. Você precisa trabalhar até tarde da noite? Não exatamente. Você não tem de fazer isso. Muitas pessoas sentem-se compelidas a trabalhar até tarde. Contudo, quem compreende o que seja autodeterminação positiva opta por fazer isso ocasionalmente, porque percebe que tem compromissos que exigem que certas coisas importantes sejam feitas.

Na verdade, não há nada que precisemos fazer muito. Escolhemos fazer o que fazemos, porque ganhamos com isso e é a melhor opção entre as alternativas. As pessoas que sentem que tem de fazer coisas, em geral, se privam de muitas opções e alternativas disponíveis, e perdem o controle de suas vidas nessa barganha. Mas quem está consciente de que possui poder de decisão – que exerce o controle sobre o que lhe ocorre – pode escolher respostas mais eficazes para as mudanças e para o que a vida lhe oferece.

Os japoneses cultivam uma delicada e pequena árvore, tão pequena que sua altura não passa de uns poucos centímetros. Eles a chamam de bonsai.

Na Califórnia encontramos um bosque de árvores gigantes chamadas secoias. Uma dessas gigantes foi batizada de general Sherman. Esta magnífica árvore que atinge a surpreendente altura de 82 metros e sua circunferência é de 23,7 metros, é tão grande que seria possível produzir madeira suficiente para construir 35 casas de cinco dependências.

Houve um tempo em que o bonsai e o general Sherman mediam o mesmo tamanho. Quando eram sementes, cada uma pesava menos de 0,01 grama. Ao chegar à maturidade, a diferença em tamanho era considerável, e esta diferença nos ensina algo.

Quando a ponta da árvore bonsai rompeu a camada de terra, os japoneses a desenterraram e amarraram sua raiz principal e algumas das raízes de alimentação, o que impediu seu crescimento, resultando em uma miniatura, muito bonita, mas, ainda assim, uma miniatura.

A semente do general Sherman caiu em uma terra rica da Califórnia e se alimentou de minerais, da chuva e da luz do sol. O resultado foi uma árvore gigantesca.

Tanto o Bonsai quanto o general Sherman não puderam escolher seus destinos. Mas você sim! Pode ser tão grande ou tão pequeno como desejar ser. Pode ser um bonsai ou general Sherman. Você escolhe.

"Destino não é uma questão de chance; é uma questão de escolha."

ANÔNIMO

Algumas Pessoas Têm Olhos, Mas não Veem

"Em algumas coisas é preciso acreditar para que sejam vistas."

RALPH HODGSON

Está preparado para uma surpresa?

Você pisca 25 vezes por minuto. Cada piscada leva aproximadamente um quinto de segundo. Portanto, se você faz uma viagem de automóvel que dura dez horas, a uma velocidade de 65 quilômetros por hora, você dirige aproximadamente 32 quilômetros de olhos fechados.

Eu conheço outro fato, muito mais surpreendente que este. Algumas pessoas passam suas vidas de olhos fechados. Elas olham, mas não enxergam realmente... não questionam... A visão é presente, mas a percepção é ausente. Se a vida fosse uma pintura, veriam as cores, mas não a genialidade das pinceladas. Se a vida fosse uma viagem, notariam a estrada, mas não a majestosa e tremenda paisagem. Se a vida fosse uma refeição, comeriam e beberiam, mas negligenciariam a notável beleza da porcelana e o delicado toque de vinho no tempero.

FÊNIX - Renascendo das Cinzas

Se a vida fosse um poema, leriam o que está escrito na página, mas perderiam a paixão do poeta. Retire a perspicácia e você repentinamente reduzirá a vida com frequentes lampejos de enfado e indiferença.

As pessoas mais inteligentes podem, às vezes, estar cegas a uma visão maior, especialmente se isso significa uma grande mudança no *status quo*. Até o grande Mark Twain teve dificuldade em discernir entre boas e más visões. Apesar da sua inteligência, ele foi apanhado pela cegueira.

Uma tarde, Twain recebeu a visita de mais um homem em busca de investidores – um inventor carregando debaixo do braço uma engenhoca de aparência estranha. Ansioso e com bastante convicção, o homem explicou o seu invento ao escritor, que o ouviu polidamente, porém no final disse que teria de recusar, pois já havia se queimado muitas vezes.

"Mas não estou pedindo que o senhor invista uma fortuna", o visitante alegou. "Pode ter a participação que desejar por 500 dólares". Ainda assim Mark Twain sacudiu a cabeça negativamente. Não estava disposto a se arriscar em uma invenção que não fazia nenhum sentido para ele. Quando o inventor resolveu ir embora com sua máquina, o escritor o chamou: "Como é mesmo o seu nome?" "Bell", o homem respondeu, com um traço de melancolia na voz, Alexander Bell.

As pessoas sem perspicácia habitam principalmente no reino do óbvio... do esperado... do essencial. As dimensões que as interessam são compridas e largas, mas não profundas. Por favor, entenda, não estou criticando as pessoas que não conseguem se aprofundar, mas as que conseguem e não querem. Não estou apontando meu dedo para a inabilidade, mas sim para a recusa.

Recordo-me de uma história que ouvi sobre um fazendeiro que levou seu cão a uma caçada. Com a arma carregada sentou-se em algum lugar escondido, à beira de um lindo lago. Quando alguns patos voaram por cima de sua cabeça, ele atirou, acertando um dos patos, que caiu exatamente no meio do lago. Seu cão jogou-se na água e, para surpresa do fazendeiro, caminhou pela superfície daquele lago raso, pegou o pato abatido e o deixou aos pés do fazendeiro. Imaginando estar vendo coisas, o fazendeiro atirou em outro pato e, assim como antes, para seu espanto, o cão novamente pegou o pato e o trouxe ao fazendeiro.

Aquele homem mal podia esperar para voltar à cidade e contar a todos o que seu maravilhoso cão era capaz de fazer. Então levou mais dois amigos ao mesmo lago, onde abateram outro pato e mandaram o "cão-maravilha" buscar o animal abatido. Bem diante dos olhos dos três amigos, o cão fez exatamente o que fizera antes: atirou-se no lago, andou perto da superfície, pegou o pato e o deixou aos pés do fazendeiro.

Ansioso por receber cumprimentos, o fazendeiro olhou ao redor, na direção de seus amigos, esperando uma reação. "Vocês não viram o que meu cachorro é capaz de fazer?", exclamou o fazendeiro. "Vocês já viram alguma coisa igual?", perguntou irritado. Um dos amigos parou, pensou e resmungou: "Eu não acho que seu cachorro saiba nadar".

Isto é o que eu chamo de não captar a ideia.

Eu desafio você: Abra seus olhos! Pense! Aplique! Escave! Escute!

Existe uma imensa diferença entre uma piscada necessária e a cegueira desnecessária.

"Vês muitas estrelas no céu noturno, mas não as enxergas quando o sol nasce. Dirias, por isso, que não há estrelas no céu diurno?"

RAMAKRISHNA

Assumindo Riscos e Rompendo Barreiras

"E o problema é que, se você não arrisca nada corre um risco ainda maior."

ERICA JONG, ESCRITORA AMERICANA

Experimentar algo novo pode ser assustador e até perigoso, mas pode ser também uma das sensações mais estimulantes da vida.

Assumir um risco significa extrapolar sua zona de conforto e fazer alguma coisa sem garantias. Significa dar ouvidos ao borbulhar, prestar atenção nas bolhas internas da excitação. Honrar a luz em seus olhos. Significa que você está fazendo uma coisa que não é lógica, racional, nem sensata, mas sim intuitiva. Significa ir contra o bom senso tradicional e realmente dar ouvidos ao canto de seu coração. Assumir um risco não é imprudência, mas também não é necessariamente sempre sensato. Em geral, fica mais ou menos no meio dos dois.

Os rompedores de barreiras são pessoas cheias de propósitos, que acolhem a aventura e ficam forçando a si mesmas a sair de seu conforto estabe-

FÊNIX - Renascendo das Cinzas

lecido e entrar em zonas de alta realização. Elas são pessoas que aprendem a superar a força amortecedora do hábito e da rotina em suas vidas, pessoas que transcendem o "bom o bastante" e aprendem como exigir o melhor de si mesmas com frequência.

Correr riscos requer autoconfiança e disposição para cometer erros. Se todas as expectativas se realizam ou não, há sempre uma exuberância de coisas a aprender com a experiência.

Como você saberá que deve assumir um risco? Quando o chamado da emoção for tão poderoso quanto um imã, quando dominar você e não soltar mais, quando você estiver pronto e disposto a aceitar o resultado que vier. É assim que você saberá que é a hora da virada.

Entre o mundo seguro que você está e a nova vida que deseja criar existe um abismo. Cabe a você construir a ponte inicial entre esses dois mundos. O desafio aparece depois de feito o que tem de fazer. Então, você descobre que depois de tudo o que fez – todo o raciocínio, a pesquisa, a avaliação e a tomada de decisão – não pode saber de nada até entrar na experiência.

O último centímetro, ou quilômetro, é a zona desconhecida. Você só pode conhecer a resposta abandonando o que sabe e mergulhando fundo. Nesse momento temos a sensação de estar pulando no vazio. Quando você ergue o pé da frente para avançar, o de trás precisa sair do chão antes do outro descer para a terra novamente. Essa sensação de "perder o chão" é o momento em que assumimos o risco, ou seja, sem nada embaixo e sem nada em que se agarrar. É preciso confiar totalmente em si mesmo. A sensação é a mais próxima possível de um vôo emocional.

O anúncio da Nike diz: "Simplesmente faça!". Claro que é mais fácil falar do que fazer, mas existe um ponto em que não resta mais nada a fazer. Depois de satisfazer a necessidade de informação e de conhecimento, responda todas as perguntas que estão na sua cabeça, peça a opinião de todas as pessoas que conhece, procure na Internet, leia tudo o que lhe cair nas mãos. É a hora de "ir fundo" ou desistir.

Charles Lindbergh não desistiu quando decidiu voar sobre o Atlântico, sozinho, em um avião monomotor. Será que ele teve medo? Certamente ele teria se nunca tivesse voado antes ou se não soubesse nada sobre aviões, talvez ele tivesse um bom motivo para ficar ansioso. Ele certamente seria considerado um tolo, caso decidisse fazer a viagem sem um planejamento prévio. Porém, nenhum destes fatores ocorreu no caso de Lindbergh. Ele era um piloto e mecânico experiente que passava meses supervisionando, pessoalmente, a construção de seu avião. Ele participou do planejamento de cada detalhe de seu voo histórico. O resultado final foi uma viagem segura, cumprida antes do tempo previsto e com combustível sobrando. De certa forma, "Lindbergh sortudo" criou a sua própria "sorte".

E você? Se resolver que a oportunidade não serve para você, deixe passar. Se resolver que quer aproveitá-la, então se aventure nesse mundo desconhecido e assuma o risco.

Está preparado para dar esse salto?

"As oportunidades são como o nascer do sol; se você esperar demais, vai perdê-las."

WILLIAM ARTHUR WARD

Você não é um Acidente

"A vida espiritual não nos remove do mundo, mas sim nos leva a nos aprofundarmos nele."

HENRI J. M. NOUWEN

A história do pequeno príncipe francês, que se recusou a amaldiçoar, sempre me inspira. Seu pai, Rei Luís XIV, foi decapitado juntamente com a rainha, durante a Revolução Francesa. Quando se preparavam para guilhotinar o pequeno príncipe, a multidão berrava: "Não o matem! Ele é tão jovem que sua alma irá para o céu, o que é bom demais para esta família real malvada". Anunciaram seu plano: "Deem o príncipe à feiticeira. Ela o ensinará a amaldiçoar. Então pecará, e quando morrer irá para o inferno". Durante meses a feiticeira tentou em vão forçar o príncipe a amaldiçoar. Ele batia com o pé no chão e recusava, asseverando: "Nasci para ser rei e nunca falarei assim".

FÊNIX - Renascendo das Cinzas

Quando você descobrir a ideia que Deus tem de você, e o valor que Ele lhe atribui, isto afetará totalmente seu estilo de vida. A sua herança é grande demais e a sua vida é importante demais para serem comprometidas em qualquer momento.

Aviltar-se, temer ou rastejar na inferioridade é negar o ideal de Deus para você nesta vida. Você não é um acidente!

Seu nascimento não foi um erro ou um infortúnio, e sua vida não é um acaso da natureza. Seus pais podem não tê-lo planejado, mas Deus certamente o fez. Ele não ficou nem um pouco surpreso com seu nascimento. Aliás, Ele o aguardava. Muito antes de ser concebido por seus pais, você foi concebido na mente de Deus. Ele pensou em você primeiro. Você não está respirando neste exato momento por acaso, sorte, destino ou coincidência. O Criador determinou cada pequeno detalhe de nosso corpo. Ele deliberadamente escolheu sua raça, a cor de sua pele, seu cabelo e todas as outras características. Ele fez seu corpo sob medida, exatamente do jeito que queria. Ele também determinou os talentos que você possuiria e a singularidade de sua personalidade.

Uma vez que o Criador o fez por um motivo, ele também decidiu o momento de seu nascimento e seu tempo de vida. Nada em sua vida é casual – tudo foi feito com um propósito.

E o mais incrível: Deus decidiu como você nasceria. Independentemente das circunstâncias de seu nascimento e de quem são seus pais. Deus tinha um plano ao criá-lo. Não importa se seus pais foram bons, ruins ou indiferentes. O Criador sabia que esses dois indivíduos possuíam a constituição genética específica para criar você em especial, exatamente como ele tinha em mente. Eles tinham o DNA que Deus queria para formá-lo.

Embora existam pais ilegítimos, não existem filhos ilegítimos. Muitos filhos não foram planejados pelos pais, mas não são um imprevisto para Deus.

Deus nunca faz nada por acaso, e Ele nunca comete erros.

O poema de Russel Kelfer resume isso:

Você é quem é por uma razão.

Você faz parte de um plano complexo.

Você é uma criação original, precisa e perfeita.

Denominada como obra prima de Deus.

VOCÊ NÃO É UM ACIDENTE

Você tem essa aparência por uma razão.

O criador não cometeu nenhum erro.

Ele o teceu no útero.

Você é exatamente o que Ele quis fazer...

Portanto, decida aceitar e ser a pessoa como Deus o criou, usufrua seu potencial na plenitude e sua originalidade. Se você não for você mesmo, quem, então, será?

"A vida que nós recebemos nos foi dada não para que simplesmente a admiremos, mas para que estejamos sempre à procura de uma nova verdade escondida dentro de nós."

LEON TOSLTÓI

Um Porão Cheio de Medos

"Sucesso, na verdade, significa olhar o fracasso de frente e, mesmo assim, jogar os dados. Você pode ser a única pessoa que saberá algum dia o resultado dos dados, mas com esse conhecimento em mãos você terá algo que milhões de pessoas nunca terão — porque elas tiveram medo de tentar."

WRITER'S DIGEST

Não sei ao certo quando minha irmã me falou sobre "a criatura", mas posso recordar que, ainda um fedelho, fiquei parado no topo da escada olhando a escuridão de nosso porão. Era um lugar úmido e sombrio. Naturalmente, eu não o conhecia, mas minha irmã me enganou dizendo que ali morava o mais horrível e mais sujo monstro que eu nem podia imaginar.

Em certas ocasiões minha mãe me mandava pegar lá embaixo algumas latas de mantimentos e algumas batatas que ela armazenava em nosso porão. Você nunca viu um garoto descer degraus tão devagar e subir tão depressa. Embora eu nunca tivesse visto o monstro, eu o ouvia constantemente.

FÊNIX - Renascendo das Cinzas

Ele povoava meus pensamentos durante os dias. Até hoje, quando desço para qualquer porão, ainda sinto um restinho daquela sensação de medo.

Há qualquer monstro em sua vida? Você pode amenizar os termos como "estou preocupado com isso" ou "tenho pensado bastante sobre isso". Mas por mais que queiramos encobrir, muitos de nós sentimos medo. Temos medo do futuro, medo de fracassar na vida.

Há uma criatura indesejada chamada medo que sussurra previsões sobre o desconhecido e o ainda não visto. Cegando cada um com uma venda, a criatura ameaça: "O que aconteceria se... e se acontecesse?" Um forte expirar de sua respiração amedrontadora transforma santos em ateus, alterando suas mentes. Sua mordida solta um veneno paralisante em sua vítima e não leva muito tempo até que a dúvida atrapalhe a visão. Aos que se tornam suas presas, ela não demonstra misericórdia. Quando somos pegos, ela pisa em nossa cabeça com o peso de um tanque de guerra, e, então, ri da nossa condição de invalidez enquanto prepara novo ataque.

Medo. Já conhece este monstro? Claro que já. Se você já se sentiu ameaçado pelo fracasso na busca de algo que tanto quer; apreensivo demais para dividir seus sentimentos; confortável demais para aproveitar uma chance de tornar sua vida melhor; intimidado demais para se defender quando humilhado por alguém; com medo demais de não ser amado novamente para pôr fim a um relacionamento ruim; nervoso demais com a ideia de se ferir para arriscar confiar em alguém; sem confiança suficiente para se aventurar em novos projetos porque acha que o desafio é demais para você.

O medo, até certo ponto, faz de todos nós proteladores e covardes. O monstro do porão se apresenta na forma de baixas expectativas, do medo de assumir riscos, do desejo de evitar conflitos em potencial, da apreensão diante de novas responsabilidades, da negação da realidade da mudança ou da colocação de barreiras ao redor de nós mesmos. Esse monstro faz com que nos contentemos com menos que somos capazes e nos impede de gozar a vida em toda a sua plenitude. O medo pode ter a poderosa capacidade de nos fazer recuar, de manter nossos talentos reprimidos e de fazer com que não alcancemos a plenitude da vida.

Não é fácil vencer o medo, mas é possível.

De modo algum eu desejo passar a você a impressão de que o medo pode ser dominado definitivamente. Cada vez que traz o seu medo à tona, você tem de combater o que diz a si mesmo: sua imaginação, suas expectativas e as lembranças de experiências passadas. Faça um exercício mental considerando aquilo que pode acontecer de pior e o melhor que pode acontecer, se você for bem-sucedido. O medo não é vencido simplesmente se pensarmos de maneira positiva. Se formos realistas, uma situação potencialmente opressiva pode ser desafiadora, mas possível.

A ação reduzirá a ansiedade e a tensão, e resultará em uma confiança e em um controle cada vez maiores. Eu acredito que qualquer pessoa pode vencer o medo se fizer as coisas que teme, e continuar a fazê-las até deixar um rastro de experiências bem-sucedidas atrás de si.

Compreenda que o medo faz com que você se acomode, impedindo-o de conseguir tudo o que a vida reservou para você. A ação o impele a superar essas limitações e caminhar rumo aos seus sonhos e objetivos. Supere seus medos, siga na direção daquilo que você quer e aja como se fosse impossível fracassar.

"A única coisa que devemos temer é o próprio medo."

FRANKLIN ROOSEVELT

Asa Quebrada

"O pássaro com a asa quebrada nunca mais voará tão alto."

HEZEKIAH BUTTERWORTH

É bem provável que alguém que lê minhas palavras neste momento esteja lutando uma batalha interior contra um fantasma do passado. O esqueleto em um dos armários do ontem está começando a sacudir cada vez mais alto. Colocar fita adesiva ao redor do armário e mover a cômoda para frente da porta adianta muito pouco para abafar os ossos barulhentos. Você se pergunta, possivelmente: "Quem sabe?", ou pensa provavelmente: "Eu já tentei de tudo... não posso vencer... a festa acabou".

A âncora, que afundou seu barco, está amarrada e presa no fundo. A culpa e a ansiedade estão a bordo, apontando para a grande carcaça escura do naufrágio. Elas se encarregam de perfurar buracos de preocupação no seu casco e você começa a afundar. Lá do fundo, pode escutá-las cantando uma velha frase popular "o pássaro com a asa quebrada nunca voará como antes...".

Sente-se perdido, e, às vezes, chega a pensar que está enlouquecendo? É a noite escura da sua alma?

Se você está atravessando essa noite, ou alguma vez já viveu esse momento, console-se pensando que esse vá-

FÊNIX - Renascendo das Cinzas

cuo é muito importante, uma etapa proveitosa e necessária de nossa jornada. Quando se planta uma árvore, a terra precisa ser revolvida, amainada e preparada antes de novas sementes poderem brotar, se não for assim, as ervas daninhas destruirão as sementes.

Da mesma forma, para que um edifício novo possa ser erguido, as estruturas velhas, gastas e inúteis, que ainda se encontram no local, devem ser demolidas. É necessário abrir espaço para que algo novo e melhor possa entrar em nossa vida. Embora pareça que estamos fora de controle ou submetidos a forças maiores que nós, é importante que acreditemos que existe uma sabedoria nos acontecimentos que atraímos para nós. Tudo serve ao aprendizado, ao crescimento, à cura. Deus sempre está muito presente, e nós não estamos sós.

George Washington Carver era um candidato a jamais voar, nasceu no Missouri durante a Guerra Civil e, desde que sua mãe era escrava de Moses Carver, ele foi conhecido na infância simplesmente como o "George do Carver". Moses Carver era um fazendeiro dedicado que não aprovava a escravidão, mas não tinha outra forma de conseguir mão de obra. Os Carvers criaram George como se fosse um filho, dando algumas tarefas e permitindo que explorasse as florestas, depois que cumpria suas obrigações. Por isso ele se tornou fascinado pelo mundo natural.

Quando ainda era garoto, com a benção dos Carver, George deixou a fazenda e saiu em busca de uma escola para negros. Conseguiu um emprego como cozinheiro e empregado doméstico. Foi quando se matriculou na escola que adotou o nome "George Washington Carver". Quando sentiu que estava preparado, inscreveu-se para a universidade e, finalmente, foi aceito pela Universidade Simpson, no Iowa. Em 1894, ele se transferiu para a universidade estadual de Iowa. Depois de se formar, recebeu o convite para ocupar o cargo de professor, ensinando Botânica Sistemática.

Em 1896, os administradores do Instituto Tuskegee, no Alabama, ofereceram ao professor Carver a oportunidade de liderar um recém-formado departamento de agricultura. Ele se agarrou a esta oportunidade, embora o departamento só existisse de fato "no papel". Carver montou um laboratório e começou o projeto que seria sua vida. Começou uma campanha de educação com todos os fazendeiros que conhecia. Ele ensinou os fazendeiros a fazerem a cultura rotativa e, praticamente sozinho, promoveu a indústria do amendoim como uma alternativa para o algodão. Carver identificou 145 produtos úteis feitos com amendoim e lutou junto ao governo para que o preço do amendoim fosse tarifado e a indústria pudesse desenvolver.

Carver também desenvolveu vários remédios de cascas de árvores e ervas, descobriu corantes e pigmentos vegetais e encontrou novas utilizações para velhos produtos. Nunca adquiriu nenhuma patente nem buscou comercializar suas descobertas. Seu interesse era unicamente ajudar outras pessoas. Acima de tudo, Carver valorizava a vida simples da pesquisa e do ensino. Ele recebeu muitos prêmios e citações na química agrícola, tanto nos Estados Unidos como na Inglaterra; nos últimos anos de sua vida, dedicou todas suas economias à Fundação Carver para a pesquisa agrícola. Muitas vezes, ele e o presidente Franklin Delano Roosevelt falaram sobre o desejo comum de ver as pessoas em todos os lugares "bem alimentadas, bem abrigadas e bem vestidas".

Por ser um artista, Carver jamais estranhou o fato de gostar de bordado, costura e pintura. Ele gostava de pintar padrões incomuns e tentar novas texturas. Criar, pintar e colecionar artesanatos era o *hobbie* de sua vida.

Carver jamais se envergonhou de sua fé. Certa vez, quando um repórter lhe perguntou sobre sua filosofia de vida, ele replicou: "Eu vou para a floresta e ali recolho espécimes vegetais e estudo as grandes lições que a natureza está ansiosa para nos ensinar. Sozinho na floresta, todas as manhãs, ouço mais nitidamente e entendo o plano de Deus para mim".

O pássaro voará em altura jamais alcançada. Apenas o fato de um provérbio ser velho não o torna confiável. Há mentiras veneráveis e antigas rodando por aí que são tão perigosas e enganosas hoje quanto no dia em que foram pronunciadas como verdadeiras. Estou falando da frase de abertura deste texto, dita por um homem chamado Hezekiah Butterworth. Ele não acreditava em Deus.

Essa frase pede fé, pede sabermos que tudo, de algum modo, nos encaminha para o melhor. Não é o mundo que está ruindo, mas as ilusões. O mundo de Deus nunca é abalado, pois está assentado em sabedoria e amor, que é a única coisa indestrutível em todo o universo. Se você se sente desiludido, coragem. Desilusão significa o término de uma ilusão. Desiludir-se é a melhor coisa que pode acontecer a qualquer um. Significa que algo falso foi desfeito e que a verdade está disponível para ser descoberta. A verdade sempre cura. Só a ilusão é dolorosa. Portanto, alegre-se, orgulhe-se, pois você teve a coragem de aprender uma lição capaz de desmoronar a ilusão e substituí-las por força e sabedoria maiores.

Os sofrimentos e adversidades podem ferir nossas asas, mas jamais nos impedirá de alcançar as alturas sublimes.

"Fé é o pássaro que sente a luz e canta quando a madrugada é ainda escura."

RABINDRANATH TAGORE

Não Retenha o Lixo

"Seu corpo é uma cidade cheia de bem e mal; você é o rei desta cidade, e seu intelecto é seu melhor conselheiro."

SÃO LUCAS

Antes de começar a receber ideias, coisas e pessoas novas em sua vida, é essencial que você abra espaço para elas. Isso significa jogar fora tudo o que você não utiliza mais, não precisa ou não gosta. Se estivesse redecorando sua casa, removeria todas as coisas velhas, antes de arrumar os móveis novos em seus lugares. E ocorre o mesmo com sua vida. Atravancamento, tanto físico como emocional, toma espaço e bloqueia o caminho, impedindo coisas novas de entrar. Assim, seja implacável no que diz respeito a livrar-se daquilo que já não lhe serve mais.

Você já ouviu falar do "Pelicano"?

O Pelicano é o navio mais indesejado do mundo. Desde 1986 ele tem sido o errante dos mares. Ninguém o quer. O Sri Lanka não o quer. As Bermu-

FÊNIX - Renascendo das Cinzas

das não o querem. A República Dominicana o expulsou. A mesma coisa fizeram a Holanda, as Antilhas e a República de Honduras.

O problema não é o navio. Embora enferrujado e inoportuno, o cargueiro de 466 pés apresenta boas condições de navegação.

O problema não é a documentação do navio. Os proprietários atualizaram a licença e as taxas foram pagas. O problema não é a tripulação. Eles podem sentir-se indesejados, mas não são ineficientes.

Então, qual é o problema? Qual é a causa para anos de rejeição? Recusado no Sri Lanka. Expulso na Indonésia. Rejeitado no Haiti. Por que o Pelicano é o navio mais indesejado do mundo?

É simples. O navio está cheio de lixo (15 mil toneladas de lixo): cascas de laranja, garrafas de cerveja, jornais, restos de cachorros-quentes e o lixo do longo verão da Filadélfia em 1986, quando os trabalhadores municipais fizeram uma greve e, então, o lixo cresceu mais e mais. Nem o Estado da Geórgia nem Nova Jersey o quiseram. Ninguém quis o lixo de Filadélfia.

Foi assim que o Pelicano entrou em cena. Os proprietários pensaram que ganhariam um dinheiro fácil com o transporte do lixo. O material foi queimado e o navio foi carregado com as cinzas, mas ninguém as quer. No início, o problema era sua grande quantidade e, no final, era um lixo muito antigo. Quem vai querer lixo potencialmente tóxico?

A situação do Pelicano é uma prova. Navios cheios de lixo encontram poucos amigos. A situação do Pelicano é também uma parábola. Corações cheios de lixo não têm melhor sorte.

Imagino que alguém pode se comparar ao Pelicano. Será que você também é rejeitado no cais? Será que está navegando para longe dos seus amigos e da sua família? Se for assim, você deve verificar a bagagem que está em seu coração. Quem vai querer oferecer espaço no cais para um coração que não tem mais espaço para nada e cheira mal?

A vida tem seu próprio modo de descarregar o seu lixo em casa ou no convés de nosso navio. O seu marido trabalha muito. A sua esposa reclama muito. O seu chefe exige muito. Os seus filhos choramingam muito. O resultado? Lixo. Cargas e mais cargas de ira, culpa, pessimismo, amargura, intolerância, ansiedade, decepção e impaciência. Tudo isso vai se acumulando.

O lixo nos afeta. Contamina nossos relacionamentos. Mantenha o lixo a bordo e as pessoas sentirão o seu mau cheiro. Os problemas do Pelicano começaram com o primeiro carregamento. A tripulação deveria tê-lo rejeitado desde o início. A vida de todos a bordo teria sido muito mais fácil se não tivessem permitido que o lixo se acumulasse.

Como você poderia mudar a situação do Pelicano? Mudando seu carregamento. Encha o seu convés e os seus depósitos com flores ao invés de lixo, com presentes ao invés de cinzas, e ninguém recusará o navio. Mude o carregamento e você mudará o navio.

Para o que ou para quem você precisa dizer "não"? O que ou quem você meramente tolera? Está na hora de terminar um relacionamento que o desgosta? De recusar-se a fazer favores que até agora fez porque sentia obrigação?

É importante limpar tudo. Talvez essa ideia o assuste, mas depois que tudo estiver em ordem, você sentirá um enorme alívio.

> "A vida é demasiado curta para perdermos uma parte preciosa dela fingindo."
>
> ALFRED DE VIGNY

O Retrato de um Fracassado

"Nem tudo o que é enfrentado pode ser mudado, mas nada pode ser mudado enquanto não for enfrentado."

JAMES BALDWIN

Reconhece-se um fracassado por seu comportamento excessivamente servil e por sua atitude negativa, com a qual se manifesta no seu ressentimento, hostilidade e sarcasmo; no abatimento com que se conduz; e no desalinhamento da sua forma de se vestir. Contudo, às vezes eles se vestem de maneira excessivamente elegante para impressionar os demais e ocultar os seus próprios sentimentos de inferioridade.

No seu trabalho não faz as coisas por convicção, mas porque tem de fazê-las. O seu único objetivo na vida é conseguir prazeres insignificantes e sem sentido. A autodisciplina não faz parte de seu caráter. Pode até ser uma pessoa bastante inteligente, mas não emprega a inteligência em algo que valha a pena. Como qualquer outra pessoa, possui certos conhecimentos e capacidade, mas nunca se

FÊNIX - Renascendo das Cinzas

preocupa em desenvolvê-los, só os guarda para si mesmo. Na verdade, não está disposto a compartilhar nada com ninguém. A falta de ambição, de confiança em si mesmo e de firmeza em suas convicções são suas principais características. Se realiza alguma pequena tarefa, logo fica arrogante e vaidoso. Não tem nem metas nem iniciativa. Geralmente não gosta de trabalhar e faz de tudo para trabalhar o menos possível. E, ainda que quase sempre sonhe em fazer alguma coisa, nunca chega a fazê-la. Simplesmente espera, espera e espera. O que ele espera? Não se sabe, aliás, nem mesmo ele sabe...

Era o caso de John, o ponto alto de sua vida foi quando o nomearam representante dos alunos de sua classe, aos 13 anos. Até agora, esse cargo representou o máximo em toda a sua existência.

A vida de John é um enigma. Embora tenha nascido em uma casa de luxo, ele ficou conhecido como um vagabundo sem um tostão sequer. Embora fosse filho de um magnata do petróleo bem-sucedido, John desistiu de muitas coisas antes de terminá-las. Apesar de seus pais serem pessoas extrovertidas e sociáveis, John sempre foi introvertido, solitário, quase estoico. Os poucos amigos disseram que ele se tornou vítima de seus próprios fracassos. Em uma família bem-sucedida, ele não se destacou de modo algum. Seu irmão e sua irmã conseguiram vencer, mas ele não. A ovelha negra, a mancha da família, ele não tinha nome. A faculdade só serviu para piorar as coisas. Ele a frequentou irregularmente durante sete anos, sem jamais se formar. John era solitário na escola, um jovem pesadão, com olhos vidrados e carrancudo. Um de seus professores relatou: "Havia quase sempre carteiras vazias ao seu redor, como se conscientemente preferisse sentar sozinho". Vazio. Quase desconhecido por aqueles com quem entrava em contato, sua passagem era marcada apenas por desordem, sujeira e escritos confusos.

Não conhecemos as emoções, mas acreditamos conhecer o resultado delas.

John Warnock Hinckley Jr. parece ter tido toda intenção, no dia 30 de março de 1981, de matar o Presidente dos Estados Unidos da América, Ronald Reagan. Por amor a uma estranha, afirma-se que ele esvaziou o revólver no corpo de quatro homens. Depois de confinado em um hospital para tratamento psiquiátrico, ele tentou tomar uma dose excessiva de Tylenol, mas falhou. John não pôde matar o presidente, nem a si mesmo.

Nosso mundo tem pouco espaço para os fracassados. Nossos sistemas de empreendimentos centrados no êxito é ideal para os bem-sucedidos, mas devastador para os que fracassam. Em um esforço para criar ganhadores, também criamos desajustados.

Para o Cristianismo, mesmo os perdedores têm mérito: "[...] os últimos se tornarão os primeiros [...]".

É nossa missão levar uma mensagem para uma vida como a de John W. Hinckley Jr. e enchê-la de valor! Incentivá-lo a viver uma vida na plenitude de seu potencial. Dizer que é uma época de grandes mudanças e de novos começos positivos. Afirmar que o passado terminou, mas que há necessidade de libertar-se dos ressentimentos, das atitudes e das convicções que ainda o prendem a ele. Conscientizá-lo sobre a nova jornada de novos interesses, experiências, metas e compreensões: sobre a vida, sobre ele próprio, sobre onde esteve, sobre onde está agora e sobre onde gostaria de estar. E, como tantas mudanças drásticas serão necessárias, e que ele aprenderá o significado da coragem.

Encoraje-se a não se intimidar pelos erros inevitáveis, que podem não ser nem mesmo erros, mas um meio de obter conhecimento. A todo momento, nos encontramos em território desconhecido. Os erros não são erros se aprendermos com eles e não os repetirmos. Aprender com os erros é deixar que se adquira experiência. Deixar que a culpa ou a censura controlem a nossa vida, isso sim é um erro.

"Como nós somos produtos da natureza não há defeito que não possa se tornar uma virtude, nem uma virtude que não possa se tornar um defeito."

JOHANN GOETHE

A Bela Língua

"Abaixo dessa lápide, debaixo da terra jaz Arabella Young, que em vinte e quatro de maio, dia de seu falecimento, começou a controlar sua língua."

INSCRIÇÃO EM UM TÚMULO NO INTERIOR DA INGLATERRA

Sua língua é bonita?

A língua – quantos contrastes! Para os médicos é somente uma mucosa que reveste um complexo sistema de músculos e nervos que permitem ao nosso corpo mastigar, provar e engolir. Que útil! Convém ressaltar também que é o maior órgão de comunicação, e que nos permite articular sons distintos para entendermos uns aos outros. Que essencial!

Sem a língua, nenhuma mãe conseguiria cantar para que seu filhinho dormisse à noite. Nenhum embaixador poderia representar adequadamente seu país. Nenhum professor conseguiria alcançar as mentes dos estudantes. Nenhum oficial conseguiria liderar os soldados na batalha. Nenhum advogado poderia defender a verdade no tribunal. Nenhum

FÊNIX - Renascendo das Cinzas

sacerdote conseguiria confortar espíritos atribulados. Nenhum tópico complicado, controverso, iria ser discutido e resolvido. Todo o nosso mundo se reduziria a grunhidos e dúvidas. Raramente paramos para pensar sobre quão realmente valioso é esse estranho músculo de nossa boca.

É bem verdade que raramente a olhamos no espelho. Nunca paramos para pensar na beleza da língua. Muito menos marcamos um horário com um esteticista especializado em línguas.

Não compramos cosméticos para embelezá-la. Nem vamos à academia por causa dela e não fazemos regime para colocá-la em forma. Ninguém fica observando. Assobiando ou sorrindo para línguas e muito menos escrevendo poemas sobre elas. Tampouco a língua é assunto dos artigos de capa das revistas especializadas em beleza.

Apesar disso tudo, é a língua que determinará se somos ou não pessoas belas. Ela fala muito mais alto do que o formato do nosso rosto, as medidas do nosso corpo, a força física que possuímos, a quantidade de peças que temos no guarda-roupa, o quanto ganhamos ou a importância do cargo que ocupamos na empresa.

Mas a língua é tão volátil quanto vital. Washington Irving foi o primeiro a dizer: "Uma língua afiada é o único instrumento de corte que se torna mais afiado com o uso constante". Tiago, meio-irmão de Jesus, foi o primeiro a alertar: "A língua é um fogo... É um mal incontrolável, cheio de veneno mortífero".

Morte verbal. Um letal e brilhante míssil que ataca com poder infernal, aniquilando e destruindo a vontade.

E não se parece nem um pouco com a fera brutal que é. Habitualmente escondida atrás de portões de marfim, seus movimentos são intrigantes. Ela pode enrolar-se para um assobio camarada ou convidar um preguiçoso bocejo à tarde. Sem nenhuma dificuldade consegue retirar restos de pipoca entre os nossos dentes ou segurar um termômetro. E é trapaceira! Pode ajudar a saborear uma bala super forte de hortelã, já que vira de um lado para o outro sem se queimar nenhuma vez. Momentos depois ela segue as ordens de um trompetista, permitindo que toque "o voo do besouro" sem um único erro.

Mas, cuidado! É só seu dedão ser acertado por um martelo, ou seu dedinho preso pela cadeira, que essa criatura escorregadia que fica em sua boca subitamente mostrará o lado violento de sua natureza. Ela desafia a domesticação. Incrível! Nós podemos adestrar golfinhos, baleias e cães. Podemos treinar falcões para pousar em nossos braços, pombos para carregar nossas mensagens, cachorros para buscar nossos jornais, elefantes para se equilibrar sobre barris, tigres para sentar em tamboretes e jacarés

A BELA LÍNGUA

para se virarem e terem as suas barrigas acariciadas. Mas a língua? É impossível ser treinada!

Muitos ofereceram conselhos sobre como evitar os transtornos causados pela enraivecida língua. Publius, um filósofo grego, nos aponta uma excelente técnica que tendemos a esquecer. O silêncio, diz Publius: "Eu me arrependo frequentemente da minha fala, nunca do meu silêncio".

A forma como a utilizamos é que determinará, em grande parte, a reputação que teremos. Isso porque aquilo que dizemos deixa uma impressão permanente a nosso respeito, ou seja, rotula nosso caráter. As palavras que proferimos, muito mais do que a aparência que temos, revelam quem verdadeiramente somos.

Portanto, reflita nestas dicas para embelezar sua língua:

· Pense primeiro. Antes de movimentar seus lábios, pare por dez segundos e mentalize suas palavras. Elas são precisas ou exageradas? Gentis ou cortantes? Necessárias ou supérfluas? Benéficas ou más? De gratidão ou de lamúrias?

· Fale menos. Suas chances de estragar tudo são diretamente proporcionais à quantidade de tempo que você gastar com sua boca aberta. Tente fechá-la um pouco. Faladores compulsivos encontram dificuldades em manter amigos. Eles são irritantes. Então conserve sua energia verbal!

· Comece já! Você nunca se arrependerá. É um projeto que não pode ser mais adiado. Arabella Young esperou demais.

"Mentes grandes discutem ideias; mentes medianas discutem eventos; mentes pequenas discutem pessoas."

BLAISE PASCAL

Avalie-se com Realismo

"Conhecer os outros é inteligência; conhecer a si mesmo é sabedoria de verdade."

LAO-TZU

Abra alguns livros de autoajuda, ouça um CD, assista a uma palestra motivacional e você ouvirá sobre os poderes maravilhosos que possui e as mirabolantes proezas de que é capaz. É verdade que você tem de acreditar em si mesmo para ser bem-sucedido. Neste sentido, as mensagens de incentivo são úteis.

Todavia, tome cuidado com esses processos que exaltam suas habilidades sem conhecê-las. O que importa é conhecer-se de fato, com seus talentos e seus limites, para ter um ponto de partida na realidade.

Não tente se convencer de que você é o super-homem ou a mulher-maravilha. Ao tentar ser o melhor em tudo, você corre o risco de perder a confi-

FÊNIX - Renascendo das Cinzas

ança ao ter um desempenho mediano nas áreas em que não se sobressai. O fracasso se tornará a sua criptonita, e o poder da sua autoconfiança desaparecerá.

Há uma parábola que conta que um grupo de animais decidiu fazer algo significante para resolver os problemas do mundo novo. Para isso, organizaram uma escola. Eles adotaram um currículo de atividades que incluía corrida, escalada, natação e voo. Para ficar ainda mais fácil de administrar o currículo, todos os animais se matricularam em todas as matérias.

O pato era excelente em natação; de fato, melhor do que o seu instrutor. Mas conseguia apenas níveis suficientes no voo, e era muito ruim em corrida. Por ser lento na corrida, ele tinha de diminuir o horário da natação e ficar depois da aula para praticar. Isso causou sérios danos às membranas natatórias de seus pés e assim ele se tornou apenas médio em natação. Mas o médio era bastante aceitável e assim ninguém se preocupou com isso – exceto o pato.

O coelho começou como o primeiro em sua turma de corrida, mas desenvolveu uma contração nervosa nos músculos da perna por causa do enorme esforço na natação.

O esquilo era excelente em escalada, mas encontrou constantes frustrações na classe de voo porque seu professor o fez começar os treinos a partir do chão ao invés dos topos das árvores. Ele desenvolveu alguns problemas musculares por causa do esforço excessivo e assim ficou só com um "C" em escalda e "D" em corrida.

A águia era aluna problema e foi severamente disciplinada para ser não conformista. Nas aulas de escalada ela batia a todos chegando primeiro no topo das árvores, mas insistia em utilizar seus próprios métodos para chegar até lá...

A óbvia moral da história é simples – cada criatura tem seu próprio conjunto de capacidades, nas quais são excelentes por natureza – ao menos que sejam forçadas a preencher um molde no qual não se encaixam.

Quando isso ocorre, frustração, desânimo e até mesmo culpa trazem mediocridade geral ou completa derrota. Um pato é um pato – e somente um pato. Ele é feito para nadar, não para correr ou voar e certamente não para escalar. Um esquilo é um esquilo – só isso. Retirá-lo do seu forte, a escalada e esperar que nade ou voe, o deixará louco. Águias são belas criaturas no ar, mas não em corrida a pé. O coelho irá vencê-la todas as vezes a menos que, obviamente, ela fique faminta.

O que é verdade para as criaturas da floresta é verdade também para os humanos. Deus não nos fez todos iguais. Ele nunca teve essa intenção. Foi Ele quem planejou e projetou as diferenças, as capacidades singulares e a variedade de dons ou talentos.

Se Deus fez de você um pato – então é um pato, amigo. Nade como um louco, mas não tente modificar sua forma só porque corre cambaleando ou agita suas asas sem conseguir voar muito bem. Além disso, se você é uma águia, pare de criar expectativas quanto aos esquilos voarem ou quanto aos coelhos construírem os mesmos tipos de ninho que você.

Não existe nada mais libertador do que a verdade. Como sou? Quais as áreas em que me destaco? Quais as áreas em que tenho dificuldade? O que é que me dá prazer? Onde é que me sinto infeliz? Não se trata de constatar isso para acomodar-se na situação, mas sim investir no que deseja de fato desenvolver.

A melhor autoconfiança é baseada em uma avaliação realista de todas as nossas habilidades. Só essa avaliação será capaz de iluminar os caminhos para a realização pessoal.

Portanto, relaxe. Aproveite sua espécie. Cultive suas próprias capacidades, seu próprio estilo. Aprecie os membros de sua espécie e de sua sociedade como eles são, mesmo que os visuais ou estilos deles possam estar a quilômetros de distância dos seus. Coelhos não voam. Águias não nadam. Patos são cômicos tentando escalar. Esquilos não têm penas.

Pare de comparar. Seja feliz sendo você mesmo! Existe bastante espaço na floresta para todos.

> "Não sei o segredo do sucesso; mas o do fracasso é querer agradar a todos."
>
> HERBERT BAYARD SWOPE

O Erro é um Aspecto Básico do Sucesso

"A vida é uma folha de papel em branco, onde cada um de nós tem de escrever suas palavras, sejam uma ou duas... e depois cessar. Então escreva algo de grandioso, mesmo que tenha tempo apenas para uma linha. Que ela seja sublime.

Não é crime errar. O crime é mirar baixo!"

JAMES RUSSEL LOWELL

Erros acontecem. Você e eu os cometemos no passado e, infelizmente, iremos cometê-los outra vez no futuro. Se você nunca cometeu erros no seu trabalho, ou não está trabalhando há muito tempo ou não está fazendo muita coisa.

Como reagimos aos fracassos e aos erros é uma das decisões mais importantes que fazemos todos os dias. De que maneira você reage ao fracasso? A falha não significa que não se realizou nada. Sempre há a oportunidade de aprender algo.

Todos nós falhamos e cometemos erros. Na verdade, as pessoas bem-sucedidas sempre têm mais falhas que a média das pessoas comuns. Em toda a história, todos os grandes personagens falharam em algum momento da vida.

Qualquer um que esteja sempre realizando algo está ao mesmo tempo correndo o risco de fracassar. É sempre melhor fracassar em alguma coisa, que ser excelente em não fazer nada. Um diamante com defeito é mais valioso que um tijolo perfeito. As pessoas que não têm fracassos também não têm vitórias.

Certo dia, o diretor de um banco comunicou a um dos seus vice-diretores que iria aposentar-se e que o escolhera para ser seu sucessor na chefia da empresa. O jovem ficou extasiado pela honra que lhe era conferida e, ao mesmo tempo, preocupado com a responsabilidade inerente ao cargo. Assim que se refez do espanto, agradeceu: "Obrigado, senhor!". Em seguida, em um tom mais sério, disse: "Sempre o admirei muito pela sua habilidade à frente dos negócios. Qual é o segredo do seu sucesso?". O velho diretor pôs a mão no queixo, pensou um instante e em seguida replicou: "Saber tomar decisões acertadas". "E como foi que o senhor aprendeu a tomar decisões acertadas?", indagou o jovem. Com um brilho diferente no olhar, o diretor respondeu: "Tomando algumas erradas".

É impossível separar o fracasso do sucesso; são duas faces de uma mesma moeda. Ninguém aprende a tomar decisões acertadas sem antes fazer algumas erradas. Quem não assimila as lições dos erros cometidos nunca poderá obter sucesso.

Falhamos de verdade somente quando não aprendemos com a experiência. A decisão cabe a nós. Podemos escolher transformar um malogro em um poste de amarração ou em um poste de sinalização.

Eis a chave para ficar livre da pressão das falhas e erros passados: aprenda a lição e esqueça os detalhes. Ganhe com a experiência, mas não fique remoendo mentalmente os detalhes insignificantes dela. Edifique sobre a experiência e continue saindo-se bem na vida. Quando você cometer um erro, admita-o. Não tente encobri-lo e fingir que nunca ocorreu e não foi realmente um erro. E, pelo amor de Deus, nunca atribua a culpa a qualquer outra pessoa, especialmente alguém que trabalha para você. Merecidamente, você perderá o respeito dos seus patrões, dos seus empregados ou dos seus sócios.

Deus jamais vê qualquer um de nós como fracasso. Ele nos vê apenas como aprendizes.

"Erros são parte do preço que pagamos por uma vida plena."

SOFIA LOREN

Bom Senso Desassombrado

"Todo homem tem lá seu pouco juízo."

R. L. STEVENSON

    Quase não ouvimos falar em bom senso, hoje em dia. Isso é péssimo, entretanto é o que precisamos, hoje, mais do que nunca. Fui educado de modo que tivesse bom senso (às vezes meu pai chamava de "juízo") e também desassombro, ou audácia, e até hoje ainda uso essas palavras. Encontrei-as outra vez, ao ler o livro de Robert Persig, *Zen e a arte da manutenção de motos*, no qual o autor faz apologia a tudo quanto o bom senso desassombrado representa. Assim ele escreve:

    Gosto da expressão "bom senso desassombrado" porque ela é simples, desprezada, e tão fora de moda que até parece estar precisando de um amigo: não parece que ela possa rejeitar seja lá quem for que lhe chegar perto. É velha expressão milenar, muito usada... antigamente. Hoje, porém, está em desuso... Uma pessoa cheia de bom senso e desassombro não fica sentada por aí consumindo-

FÊNIX - Renascendo das Cinzas

se, exasperando-se, por causa das coisas. Tem plena consciência de si mesma, vigia a estrada da vida e enfrenta quaisquer problemas, à medida que vão chegando.

Logo depois, Persig aplica esse conceito à vida. Esconde seus comentários sob a parábola da manutenção de uma motocicleta:

Se você vai consertar uma motocicleta, a primeira e mais importante ferramenta é uma boa porção de bom senso e audácia desassombrada. Se você não tem bom senso, nem desassombro, é melhor você recolher as demais ferramentas e guardá-las, porque não lhes serão úteis.

Bom senso desassombrado é a gasolina psíquica que alimenta a máquina, e a põe em movimento. Se você não tem esse combustível, não há maneira de consertar-se a moto. Contudo, se você tem bom senso desassombrado e sabe conservá-lo, não há absolutamente no mundo inteiro quem possa impedir que a moto seja consertada. Está determinado que a moto se consertará. Portanto, o que se deve controlar o tempo todo, o que se deve preservar antes de qualquer outra coisa, é o bom senso e a audácia desassombrada.

É vergonhoso. Parece-me que as expressões "bom senso", "juízo", "audácia" e "desassombro" se tenham perdido nas gretas do tempo, especialmente agora que a desistência é mais popular do que a persistência.

Concordo com esse autor que gostaria de iniciar uma nova carreira nesse campo. Que tal você encontrar um novo curso no catálogo das Universidades: "Bom sensologia desassombrada?" Todavia, isso nunca acontecerá, porque o bom senso e a audácia se aprendem, não se ensinam. Como é verdade a respeito da maioria das características de caráter, tanto o bom senso quanto a audácia estão entranhados sutilmente na trama da vida da pessoa, de tal modo que poucos param a fim de identificá-los. Jazem escondidos, à semelhança das grossas barras de aço nas colunas de concreto que suportam pontilhões imensos. Pode ser que o bom senso e o desassombro estejam escondidos, mas são importantes para que sejamos eficientes.

O juízo, combinado com a ousadia, capacita-nos a economizar, em vez de dissipar cada centavo ganho. Ajuda-nos nas tarefas mais difíceis, como criar criteriosamente um modelo novo, adicionar mais alguns cômodos à casa, estudar um idioma, fazer dieta para perder peso e manter o perfil delgado ou ler um livro por mês. A maior parte das pessoas recebe um pequeno quinhão de bom senso desassombrado, ao nascer. Contudo, essa ferramenta logo enferruja. Aqui vai um pouco de lixa:

1. Bom senso desassombrado começa com um compromisso firme.

Em vez de meter mãos à obra, a tendência humana é ficar ponderando, repensando, perdendo tempo e embromando com uma ideia até a oportunidade de chafurdar-se no pântano da indecisão. Uma antiga receita que ensinava a preparar coelho assado, começava assim: "Primeiro, pegue o coelho." Isso é que é dar prioridade ao que é prioritário. Se não houver coelho não há almoço. Você quer que o bom senso desassombrado permaneça até o fim? Comece logo e com força!

2. Bom senso desassombrado significa ter disciplina – um dia de cada vez.

Em lugar de convergir a atenção para a torta inteira, tome bocados pequenos, do tamanho de uma mordida. O tamanho colossal de um objeto pode assustar até mesmo os mais corajosos. Você vai escrever um livro? Escreva uma página de cada vez. Vai correr uma maratona? Aqueles quarenta e tantos quilômetros deverão ser percorridos passo a passo. Está aprendendo uma língua estrangeira? Aprenda uma palavra de cada vez. O ano tem 365 dias. Divida qualquer projeto por 365 e ele parecerá bem menos intimidador. Certo? Precisamos de disciplina diária, não de disciplina anual.

O dia de hoje é singular! Nunca aconteceu antes, e jamais se repetirá. Terminará à meia-noite, tranquila, repentina e totalmente. Para sempre. Entretanto, as horas que medeiam este instante e a meia-noite constituem oportunidade para ser sensato.

Viva o dia de hoje integral e sensatamente – como se fosse seu último dia na terra. Pode ser mesmo.

> "Sempre dizem que o tempo muda as coisas, mas quem tem de mudá-las é você."
>
> ANAIS NIN

Você não Está Sozinho

"Cada um de nós é um anjo de apenas uma asa, mas podemos voar se abraçarmos alguém."

LUCIANO DE CRESCENZO

Às vezes eu sinto que estamos muito sós, neste mundo com a pesada tarefa de ter de consertar tudo o que está errado. Você também, às vezes, se sente impotente para melhorar sua vida, sua casa, sua cidade, sua família, seu mundo, afinal de contas?

Se a sua história é parecida com a minha, vou lhe um contar um incidente bem simples, que ocorreu, e que me fez mudar muito.

Certa vez, fui visitar um apiário (onde se criam abelhas). Era pleno verão e eu, andando entre fileiras de casas de abelhas, ouvira um zumbido regular e constante, como se fosse o mar batendo na praia, em ondas e ondas. Perguntei que zumbido era aquele e o dono do sítio respondeu que eram as abelhas exaustores. Sim, senhor: *abelhas exaustores*! Em cada colmeia há um verdadeiro exército de abelhas, cuja única razão de existir está em limpar o ar que a comunidade de abelhas respira.

Conforme o tamanho da colmeia, podem ser milhares de abelhas, de cabeça virada para dentro da colmeia, e com as asas batendo, em altíssima velocidade. Assim, "puxam" para fora da colmeia o ar "utilizado" ao mesmo tempo que puxam para dentro o ar limpo. É assim, pois, que cada colmeia dispõe de ar condicionado: pelo trabalho incansável destas benditas abelhas exaustores. E é também pelo seu trabalho que o mel das outras abelhas tem aquele perfume e gosto perfeitos.

E eu, cá com meus botões, imagino o que possa passar pela cabeça de cada uma daquelas abelhas exaustores: que ninguém dá atenção a ela, que seu trabalho é inútil, afinal o que é que uma única pobre abelha exaustora pode fazer pelo ar de uma colmeia inteira de abelhas?

Uma pobre abelha... e eu, um todo poderoso visitante de um sítio com milhares de colmeias, cada colmeia com milhares de abelhas, feitas as contas, somos muito parecidos. Nós dois, a abelha e eu, temos momentos de exaustão, de desânimo. Mas, imediatamente, nos aparece uma ideia salvadora, que torna a colocar cada coisa no seu devido lugar. Ninguém, sozinho pode fazer alguma coisa, entretanto, em compensação, ninguém, jamais, está tão sozinho a ponto de não ter forças para nada. Sempre, em qualquer condição, na colmeia, em casa, no trabalho, aparece alguém disposto a bater as asas, ao nosso lado, no esforço de limpar o ar poluído deste mundo. Limpá-lo da poeira, do medo, da dúvida, da falta de coragem, da falta de fé.

"O coração do homem é como um moinho que trabalha sem parar. Se não há nada para moer, corre o risco de triturar a si mesmo."

MARTIN LUTERO

Tempo de Morrer, Nascer e Crescer

[...] "Necessário vos é nascer de novo."

PALAVRAS DE JESUS A NICODEMOS, REGISTRADO NO EVANGELHO DE JOÃO

A morte é como o nascimento, em um sentido mais profundo. Imagine o nascimento da perspectiva do feto. Seu mundo é um lugar escuro, calmo e seguro, onde é banhado por um líquido morno e aconchegante. Não faz nada sozinho, é alimentado automaticamente. E o ritmo constante do batimento cardíaco indica que algo maior do que você supre todas as suas necessidades. A vida se resume simplesmente em esperar, você não sabe bem o quê, mas qualquer mudança parece distante e assustadora. Você não conhece nenhum objeto cortante, nenhuma dor, nenhum perigo. Tem uma vida agradável e serena.

Um dia, sente um puxão, as paredes parecem pressioná-lo. Aquelas paredes macias agora pulsam freneticamente, empurrando-o para baixo. Seu corpo é dobrado, seus membros, torcidos e deslocados. Você está caindo de cabeça para baixo.

FÊNIX - Renascendo das Cinzas

Pela primeira vez na vida, sente dor. Está em um mar turvo e agitado. A pressão aumenta, em uma intensidade quase insuportável. Seu crânio sofre um achatamento, e você é puxado com toda a força através de um túnel escuro: dor, barulho e mais pressão. Tudo dói. Você ouve um gemido, e um medo terrível toma-o de assalto. Está acontecendo... seu mundo está desmoronando. Você sente que é o fim. Vê uma luz forte, ofuscante. Mãos frias e ásperas seguram-no de cabeça para baixo. Um tapa dolorido. Buáááá! Parabéns! Você acabou de nascer.

A morte é assim. No final do canal do nascimento, parece que somos tragados para um túnel escuro e assustador por uma força irresistível. Ninguém espera por isso. Sentimos medo. É só pressão, dor, escuridão... o desconhecido. Além da escuridão e da dor, existe um mundo totalmente novo. Quando renascermos depois da "morte" neste novo mundo. Cheio de possibilidades, nossas lágrimas e dores ficarão apenas na lembrança.

Mas necessário vos é renascer... e crescer.

No decorrer de todo este livro, tenho enfatizado como é importante você conscientemente assumir a responsabilidade pelos resultados em sua vida e escolher o tipo de pessoa que deseja ser e sua atitude em relação à vida. Agora quero que você avance mais, assumindo total responsabilidade pela criação dos resultados específicos que deseja.

Fazer isso é um grande desafio porque envolve verdadeiro crescimento. Quando você renasce e cresce, no sentido mais completo, para totalmente de culpar os outros por qualquer insatisfação que possa ter a respeito da vida. Não precisa mais da aprovação de seus pais, nem de mais ninguém, para seu novo modo de viver, pois é dono de si mesmo, de sua nova vida.

Tenho treinado pessoas bem-sucedidas, com mais de 30, 40 anos, que ainda não cresceram. Alguns desses homens e mulheres não aceitam o desafio de renascer e viver sua própria vida, preferindo continuar à sombra dos pais ou de outros familiares. Vivendo de uma forma que pode ser ideal aos olhos de outras pessoas, mas não necessariamente a seus próprios olhos.

Conheço adultos que se sentem magoados pelo fato de pais e professores não os terem incentivado de modo correto para que tivessem um bom começo na vida. Digo-lhes que eles viveram em companhia dos pais apenas 18 anos, talvez um pouco mais, e que depois disso tiveram pelo menos 20 para assumir o controle da própria vida.

Como adulto, você pode dar a si mesmo qualquer coisa que não tenha tido na infância. Pode tornar-se seu próprio pai, seu herói, criando uma vida significativa. O grande passo que você pode dar como adulto é: tomar a decisão de firmar-se sobre os próprios pés, de não culpar ninguém pelo que lhe acontece, de escolher seu caminho e arcar com as consequências, se as coisas não derem certo, de assumir total responsabilidade por sua vida.

Os mitos, muitas vezes, refletem profundas verdades a respeito da natureza humana. A psicologia e a mitologia de diferentes culturas são muito similares. Um dos pontos que têm em comum é o mito da viagem que o herói empreende em busca de seu destino. Ele sempre encontra terríveis obstáculos em seu caminho, símbolos dos ritos de passagem e desafios que todo ser humano enfrenta ao procurar sua realização.

O herói sempre deixa a família em uma despedida dolorosa. Esse é o reflexo de uma verdade universal: a fim de tornar-se a pessoa que pode ser, você precisa deixar para trás o que fez parte do início de sua vida. Às vezes o herói retorna ao convívio familiar, transformado e rico, e quando isso acontece na vida real, o que não é raro, o relacionamento alterou-se sutilmente, pois a antiga criança e os seus pais tornaram-se iguais.

Todo crescimento envolve despedida, a morte em sentido figurado, para que possa haver um retorno, o renascer. Partindo, seja do seio da família, de um relacionamento infeliz, ou de um emprego seguro, mas tedioso. Pode parecer difícil, mas muitas vezes é preciso deixar ir uma parte da vida para que outra melhor possa ocupar o lugar. Se você se recusar a deixar ir, vai acabar como os gêmeos que se recusaram a nascer.

Dois gêmeos estavam no útero da mãe. Nadando naquele ambiente escuro e aquecido, eles não podiam imaginar uma casa melhor. A temperatura era controlada, confortável e as refeições servidas à *la carte*, mas depois de nove meses, um anjo lhes disse:

— Vamos, amigos, está na hora de nascer.

— Nascer? – um deles replicou. O que é nascer?

— Ora, nascer é sair daí e gozar o mundo maravilhoso que Deus fez.

— Mundo? – disse o outro gêmeo. O que é mundo?

— Mundo é um lugar esplêndido, cheio de árvores e montanhas, rios e oceanos. Tem cores lindíssimas e vistas fantásticas, respondeu pacientemente o anjo.

— Montanhas? – perguntou um dos gêmeos.

— Rios? – o outro prosseguiu.

Depois de uma breve consulta, eles disseram ao anjo:

FÊNIX - Renascendo das Cinzas

— Nunca vimos essas coisas. Vamos ficar com o que temos. Gostamos muito daqui. Não vamos aceitar essa coisa de "nascer", mas obrigado assim mesmo.

— Olhem, rapazes – disse firmemente o anjo – esta não é uma opção. Vocês não podem ficar aqui. Têm de nascer.

— Temos? – choramingaram eles – Vai doer?

— Sim, um pouco, acho, e vocês têm de atravessar essa passagem escura aí embaixo, mas prometo que vão ficar contentes quando tudo acabar.

— Ooooooh, não. Não vamos atravessar essa passagem! — responderam os dois teimosamente.

— Vocês não têm escolha, meninos. Está na hora! – e o processo começou.

— Por favor, nããããão.

Eles gritaram e lutaram o caminho inteiro, ao sair para o mundo, mas com a primeira respiração e ao experimentar o leite da mãe, eles disseram:

— Puxa! Este lugar é ótimo. Por que você não nos disse que era assim?

— Eu tentei – falou o anjo cansado – Mas vocês não quiseram ouvir.

Setenta anos mais tarde ele voltou até os gêmeos.

— Olá, rapazes, está na hora de morrer.

— Morrer? – perguntaram eles – Como é morrer?

— Oh, vocês vão para um lugar cheio de querubins e arcanjos.

— Eu nunca vi um arcanjo, nem um querubim – retrucou áspero um dos gêmeos.

— Nós gostamos das coisas aqui na terra – disse o outro. Há montanhas e rios, oceanos e árvores. Estamos contentes aqui. Não vamos aceitar essa coisa de "morte", mas obrigado mesmo assim.

— Rapazes, vocês não têm escolha. Quer queriam quer não, vão morrer. E antes que perguntem, sim, vai doer um pouco. Vão passar por aquela sepultura logo ali embaixo de vocês.

— Sepultura? – gritou um deles.

— Dói – gemeu o outro.

E embora suplicassem e clamassem e se agarrassem à vida com todas as forças, eles morreram e foram para o paraíso. Depois de um momento – que era uma eternidade – na presença do Criador e toda a Sua glória, eles disseram ao anjo:

— Ei, por que não nos disse que era assim tão maravilhoso?

— Tentei – respondeu o anjo sorrindo – Mas vocês não quiseram ouvir.

Lembre-se de que, crescendo e escolhendo seu próprio caminho na vida, você está fazendo a viagem, o voo da Fênix, com todos os desafios, descobertas, separações (mortes) e triunfos (renascimentos) que isso traz. Crescendo você se libertará.

"Tudo tem seu tempo determinado, e há tempo para todo o propósito debaixo do céu. Há tempo de nascer, e tempo de morrer..."

ECLESIASTES 3

Terceira Parte
Atitude

Queime este Livro

Assim como é possível renunciar ao próprio poder em favor de outra pessoa, é possível fazê-lo também em favor de algum método de aprendizado. Todo instrumento útil ao despertar só tem na medida em que retira a pessoa de onde está presa e a ajuda a dar o passo seguinte. Se, por medo, você tenta ficar grudado onde está e resiste a ir em frente, o universo lhe dará um empurrãozinho (ou um belo chute) para que suba ao próximo degrau de autofortalecimento.

Na versão cinematográfica de The Razor's Edge (O Fio da Navalha), Bill Murray dramatiza a viagem de um buscador espiritual. Larry abandona um estilo de vida afetado e cômodo na Inglaterra para enfrentar os horrores da Primeira Guerra Mundial, e depois vai para a Índia para encontrar a iluminação. É um leitor ávido que busca a resposta em muitos livros, mas sua busca o deixa sempre insatisfeito.

FÊNIX - Renascendo das Cinzas

Larry chega a um templo perto do topo do Himalaia, onde encontra um sábio guru.

– O que você busca, meu filho? – O mestre pergunta.

– Quero saber como viver – Larry explica.

– Muito bem, então, o sábio diz. Você está vendo aquela cabana no topo da montanha? Os olhos de Larry percorrem o pico recoberto de neve e logo localizam um telheiro minúsculo próximo ao topo.

– Pegue seus livros e vá para o acampamento. Espere lá até encontrar a resposta que vem procurando.

Os olhos de Larry se arregalaram de entusiasmo. Ali estava sua chance de atingir a verdade pela qual tanto ansiava. Reúne seus volumes e escala a montanha até a cabana, que não é mais que um abrigo precário feito de quatro pilares de madeira e uma cobertura de tecido. Ele acende uma fogueira e senta-se ávido para ler. Eis o momento pelo qual ele tanto aguardara.

Ele passa semanas lendo. A cada cena ele sente mais frio e fica cada vez mais frustrado. A barba em seu rosto cresce. Apesar dos esforços concentrados, Larry definitivamente não parece estar nem um pouco mais perto da iluminação. Aliás, ele parece muito desencorajado. Depois de algumas semanas naquele acampamento, Larry está congelando. A neve cai, o vento assobia ensurdecedoramente, e pequenos pingentes de gelo se projetam no bigode do jovem. Se ele não agir logo ficará sabendo o que é a iluminação no outro mundo.

O fogo está quase apagado e não há mais lenha, mas ele continua lendo com voracidade, talvez ainda mais intensamente do que no início. Está determinado a encontrar uma resposta. E consegue. Contra o pano de fundo da noite gelada, os olhos de Larry vagueiam até o fogo que está diminuindo, voltam para o livro e focalizam novamente o fogo. Uma centelha de verdadeiro entendimento começa a luzir em seus olhos. A resposta enfim chegou. Orgulhosamente, Larry se levanta, rasga algumas páginas do livro e as atira na fogueira. As chamas sobem e Larry desfruta o calor. Um sorriso maroto insinua-se em seu rosto. Agora ele rasga várias folhas e as arremessa ao fogo. O sorriso que ostenta vai aos poucos tornando-se um riso leve e logo uma gargalhada irreprimida. Como um selvagem ele arranca o restante das páginas e lança nas chamas. Depois, com a velocidade que lhe é possível, pega os outros livros e oferece-os à fogueira. As chamas sobem até o céu e espalham luz e calor até os confins do acampamento. À distância, vê-se o jovem em pé, no topo da escura montanha, circundado por um vivo brilho alaranjado.

Na manhã seguinte, Larry desce triunfante a encosta da montanha. Estava feliz, ostensivamente livre de seu material de leitura. Encontrara a resposta, e ela não estava num livro. A resposta era viver, fazer o que fosse preciso para tornar a vida satisfatória e alegre a cada momento. A iluminação não poderia ser encontrada numa fuga para o mundo das palavras ou no sofrimento no frio. Ele encarou o desafio à sua frente e venceu-o com os recursos que tinha à mão. E só pôde fazer isso estando plenamente vivo e desperto num dado momento. A resposta não estava em algum lugar lá adiante. Estava bem ali.

Caro leitor, na última página deste livro você encontrará as instruções para fazer o origami de uma Fênix, sugiro a você que faça as dobraduras, e que no centro do papel que você utilizará para fazê-lo escreva os momentos que marcaram sua vida, depois, observe atentamente o pássaro e queime-o, não como um ritual esotérico, mas como um símbolo de superação e renascimento ao invés de desistir e aceitar que a vida lhe imponha seus próprios termos. Ao observar as chamas da fênix, perceba que você está pronto para novos desafios. Pronto para evoluir para uma vida plena de significado, ousando acreditar que o legado que você irá deixar após este importante marco – o renascimento – acabará sendo muito mais importante do que qualquer coisa que você possa ter realizado no período anterior a este momento de renascimento.

"Então, dê o passo para o nascimento de uma vida nova de crescimento e triunfos."

DANIEL CARVALHO LUZ

FÊNIX - Renascendo das Cinzas

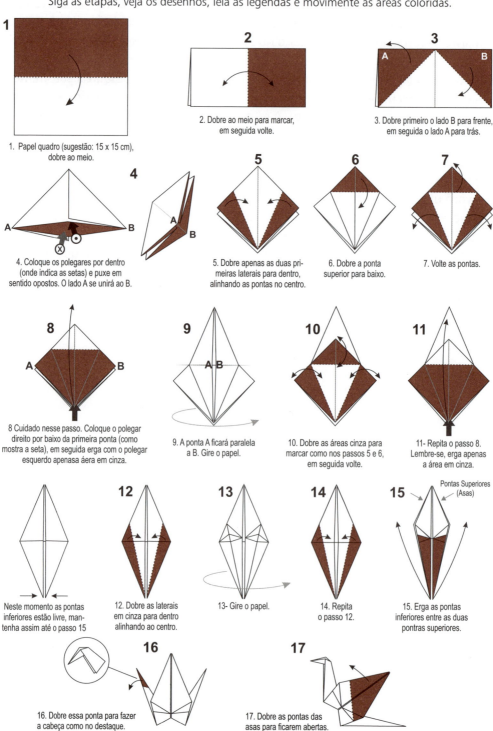

Faça sua Fênix

✂ Recorte na linha pontilhada

Conheça outros títulos do autor:

INSIGHT vol 1   INSIGHT vol 2

Acesse nossos títulos no site:
www.dvseditora.com.br